Avec ou sans Dieu

Des mêmes auteurs

Régis Debray

Les communions humaines. Pour en finir avec « la religion », Fayard, 2005.
Ce que nous voile le voile. La République et le sacré, Gallimard, 2004.
Le feu sacré, fonctions du religieux, Fayard, 2003.
L'enseignement du fait religieux dans l'école laïque, rapport au ministre de l'Éducation nationale, Odile Jacob, 2002.
Dieu, un itinéraire. Matériaux pour l'histoire de l'Éternel en Occident, Odile Jacob, 2002.
Critique de la raison politique ou l'inconscient religieux, Gallimard, « Bibliothèque des idées », 1981 ; « Tel », 1987.

Claude Geffré

De Babel à Pentecôte. Essais de théologie interreligieuse, Éditions du Cerf, à paraître.
Croire et interpréter. Le tournant herméneutique de la théologie, Éditions du Cerf, 2001.
Profession théologien. Quelle pensée chrétienne pour le XXIe siècle ? Entretiens avec Gwendoline Jarczyck, Albin Michel, 1999.
Un espace pour Dieu, Éditions du Cerf, 1996.
Le christianisme au risque de l'interprétation, Éditions du Cerf, 1988.
Un nouvel âge de la théologie, Éditions du Cerf, 1987.

Régis Debray
Claude Geffré

Avec ou sans Dieu ?

Le philosophe et le théologien

Dialogue animé par Éric Vinson

Bayard

ISBN 2.227.47567.6
© Bayard, 2006
3 et 5, rue Bayard, 75393 Paris Cedex 08 (France – UE)

1

De la « sortie » du religieux à son « retour », quel devenir historique pour le christianisme et l'Occident ?

Premières approches du devenir du « religieux » occidental, entre modèles américain et européen

CLAUDE GEFFRÉ (C. G.) — La lecture de vos livres a suscité chez moi une question toujours renaissante. Pourquoi cette fascination pour la permanence du « religieux » chez un Occidental qui constate l'âge postchrétien et même postreligieux de notre civilisation ?

RÉGIS DEBRAY (R. D.) — Il serait dommage d'exclure les États-Unis de notre civilisation, car quand on parle de

l'Occident, c'est quand même le « gros morceau ». Les sociologues nous disent que neuf Américains sur dix croient « en un
Dieu unique et personnel »… Le Québec – très déchristia-
nisé – se retrouve dans une situation à l'européenne, et même
à la française. Et voilà, pour commencer, une question : pourquoi cet Occident en deux blocs, avec d'un côté les USA et de
l'autre l'Europe de l'Ouest et le Québec ?

C. G. — Sans oublier qu'une bonne part de ces Américains
relèvent avant tout de la religion civile américaine… Or, tous
ces gens croient-ils vraiment en Dieu ? Disons que chez eux,
« Dieu » figure sur les billets de banque et dans la Constitution. Mais quant à savoir ce qui se passe dans la tête et le cœur
des personnes ?

Reste qu'en Europe, à la différence d'autres continents et
civilisations, beaucoup perçoivent une « sortie du religieux »
depuis déjà deux siècles. Et n'y a-t-il pas par ailleurs un abus
de langage à ranger dans le domaine du « religieux » – comme
on le fait souvent aujourd'hui – les jeux Olympiques, les
matchs de foot ou la vénération des « fans » pour les stars de
réputation mondiale ?

R. D. — Comment l'expliquez-vous, de votre point de vue ?

C. G. — En ce qui me concerne, j'aimerais plutôt
« retourner » la question, et la poser en sens inverse : comment
se fait-il que dans une société aussi sécularisée que la société
occidentale, on assiste à une permanence – si ce n'est à un
certain « réveil », comme disent médias et sociologues – du
religieux ? À condition d'ailleurs de savoir ce qu'on entend
exactement par « réveil du religieux ». Car, à mes yeux, plus
que d'un véritable « réveil », il s'agit surtout là de la fin d'une

certaine confusion entre deux notions sociologiques : la sécularisation et la « déreligiosisation », comme dit la sociologue des religions Danielle Hervieu-Léger.

Trop longtemps en effet, les sociologues et leurs épigones journalistiques ont cru que le grand mouvement historique de sécularisation de la société occidentale impliquait la disparition progressive des croyances religieuses en son sein. Or, force est de constater qu'une profusion de croyances religieuses y demeure, tout comme un certain sens du sacré, même s'il connaît beaucoup de métamorphoses. La question – vous l'avez déjà abordée avec Marcel Gauchet sans vous mettre d'accord – étant bien de savoir si cette « exception » de la sécularisation occidentale en est bien une, c'est-à-dire un phénomène historique transitoire, ou si le monde occidental n'échappe pas à cette espèce de loi générale de la permanence d'un religieux, indissociable du lien social et même de ce que vous repérez comme un « invariant anthropologique ». J'avoue que je suis tenté par l'essai d'explication de Marcel Gauchet, pour qui il y a bien eu historiquement une révolution dans l'histoire du religieux. Et c'est la situation moderne – à l'époque de la sécularisation – qui nous permet de mieux comprendre le premier temps de la religion : celui où la structuration inconsciente des sociétés n'était pas nécessairement religieuse, mais essentiellement politique sous un « voile » religieux.

Si l'on reprend le fil de ce long cheminement historico-symbolique, il y eut d'abord une première période « archaïque » où la transcendance était définie en termes d'énergie ou de puissance religieuse (le *numineux* !) et où elle fournissait l'extériorité nécessaire à la cohésion sociale. Toutefois, à cette époque, le transcendant religieux faisait en sorte que les hommes et les femmes soient tous au même niveau, c'est-à-dire dans une situation de dépossession et de dette par rapport à la puissance extérieure qu'ils désignaient comme religieuse. Or, à partir de l'émergence même rudimentaire des États, cette extériorité changea peu à peu de sens. On eut alors affaire non plus à des sociétés simplement soumises de manière égalitaire à une puissance religieuse extérieure aussi menaçante que bienveillante, mais à des sociétés marquées par la lutte pour le pouvoir entre les dominants – les complices du divin – et les autres. Et c'est la naissance, beaucoup plus récente, de l'État moderne démocratique qui nous révèle ce phénomène très important, noué quand apparurent les premiers États. Autrement dit, ce qui était premier en la matière, c'était plus une structuration politique en termes de pouvoir qu'une structuration proprement religieuse. Une confusion entre le politique et le religieux qui perdure d'ailleurs dans l'esprit de beaucoup aujourd'hui…

Actuellement, on parle ainsi d'exception européenne et occidentale (mis à part les États-Unis) en voyant le religieux prospérer partout ailleurs dans le monde. Mais on ne doit pas ignorer que ce religieux « étranger » est quand même en train de négocier avec la modernité et ses universaux, à savoir la raison critique, la science, un nouveau rapport à la nature, et enfin un certain *ethos* démocratique fondé sur l'universalisation des droits de l'homme. Ce qui implique que ce *revival* du religieux ancien chez les antimodernes soit bien une réponse à une telle offensive de la modernité occidentale. Beaucoup de fondamentalistes de plusieurs religions et spécialement de l'islam le sont ainsi probablement pour affirmer leur identité individuelle et collective, mise en cause par cette planétarisation des valeurs modernes occidentales.

À l'opposé, si le christianisme – surtout le catholicisme depuis le XVIII° siècle – a été quelque part la victime de cette modernité antithéocratique, il n'en demeure pas moins son complice sur le long terme, ainsi que le révèle l'examen en philosophe de l'histoire des rapports entre politique et religion. À la fois « victime » et « vecteur »… De quoi établir, me semble-t-il, de ce point de vue une certaine « exception religieuse » de ce rameau judéo-chrétien, avec ses dogmes de la Création et surtout de l'Incarnation. Par rapport au religieux archaïque, le judéo-christianisme valorise en effet énormément la grandeur de l'homme ; raison pour laquelle avec lui, on ne peut plus définir la religion seulement comme une dépendance, une dette, une aliénation envers cette « extériorité » que seraient le divin ou les dieux par rapport à un homme autonome. Avec le judéo-christianisme, on entre davantage dans la catégorie de l'alliance, du pacte entre Dieu et l'homme.

C'est là que j'évoquerai la thèse de René Girard, que vous démolissez à la fin de votre ouvrage *Le feu sacré*. Je suis moi-même critique, mais néanmoins Girard a bien vu que le christianisme a introduit une rupture dans le lien « congénital » entre la violence et le sacré, à la racine du religieux archaïque. Et il convient de souligner que par « sacré », il ne faut pas simplement entendre le rituel, le sacrifice, et surtout le sacrifice sanglant. La « violence » du sacré en cause peut aussi signifier l'altérité aliénante d'une certaine transcendance, celle d'un Dieu conçu en termes de toute-puissance, d'éternité, de perfection, d'inaccessibilité… De tout ce qui échappe en un mot au pouvoir de l'homme et qui souligne sa faiblesse. C'est bien cette conception du divin qui a été remise en question par le dogme de l'Incarnation, même si le christianisme historique n'a pas su exploiter cette rupture en continuant à vouloir concilier le « bien connu » du théisme le plus courant avec l'originalité du message biblique et évangélique... Quelle originalité ? Celle d'un Dieu se définissant essentiellement comme amour, et cela jusqu'à un certain renoncement à sa propre puissance – ce que les théologiens appellent la « kénose » – pour mieux être solidaire de la souffrance de l'homme.

D'une certaine façon, le christianisme peut ainsi à bon droit être désigné, avec Marcel Gauchet, comme « la religion de la sortie de religion », à condition de définir la religion de toujours comme celle de la dépossession radicale et aliénante de l'homme par rapport à la divinité. Je ne partage pas cette option comme si le vrai religieux était toujours le religieux primitif.

Mais je sais bien que pour Gauchet, cette expression paradoxale de « religion de la sortie de religion » ne doit pas être entendue comme marquant la fin même du christianisme en tant que croyance religieuse. Ce qu'il vise avant tout, c'est la fin du christianisme comme facteur fondamental de cohésion sociale ; non sa disparition comme dynamisme susceptible de fournir – individuellement et collectivement – ce point d'extériorité, de « transcendance », indispensable aux humains comme vous le soulignez très bien dans vos livres. Personnellement, je vise la transcendance d'un Dieu personnel à visage d'homme, dont l'« extériorité » est d'autant mesurée, résorbée et pour tout dire humanisée. Cela n'entraîne pas la fin de toute religion, mais inaugure un *religieux autrement*.

R. D. — Votre manière de voir est très bien articulée. En ce qui me concerne, j'aimerais tout d'abord m'interroger sur l'exception européenne. J'avoue que je n'ai pas de réponse toute prête... Peut-être y aurait-il néanmoins deux pistes à explorer en la matière. La première : que la croyance religieuse américaine ait été liée d'emblée à l'individualisme, ou à tout le moins à la dissidence, à l'hérésie et au libre choix personnel. Libre d'emblée à l'égard du féodal et du monarchique, elle n'a pas trop souffert du devenir démocratique.

C. G. — À cause des pionniers protestants qui fondèrent les États-Unis ?

R. D. — Oui, à cause des hérétiques, de la Réforme et du rapport personnel à la Bible qu'elle implique dans le cadre du « libre examen ».

C. G. — Comment conciliez-vous cet individualisme congénital avec le messianisme américain, sorte de relais historique du messianisme juif ?

R. D. — Précisément par la Bible et le transfert de la notion de peuple élu qu'il est aisé d'opérer. Mais c'est là une autre question. En tout cas, le point important est que la réaction antichrétienne – en l'occurrence anticatholique – européenne dans sa dimension *des Lumières* n'a pas eu lieu d'être aux États-Unis.

C. G. — Car on y partait dès l'origine d'un découplage du religieux et de l'autorité ?

R. D. — Je dirais que les *Founding Fathers* étaient déjà « hors autorité », si l'on entend par là une structure théologico-politique et un système monarchique d'autorité. Mais il y a peut-être une deuxième piste à explorer, à savoir l'absence dans les deux derniers siècles de « religions séculières » comme en Europe et des interruptions généalogiques qu'elles ont provoquées. En coupant la tête du roi, nous Français, nous nous sommes coupés de Dieu, dans la mesure où la monarchie était de droit divin, et le divin ainsi ancré dans les mœurs. Rien de tel aux États-Unis, où le devenir protestant de la foi était non seulement anticipé dès les débuts – la Réforme étant ici un donné initial – mais où il court-circuitait la grande polémique impliquée par les « religions séculières » nationaliste et communiste avec leurs dérivés et composés. Il me semble que l'histoire américaine forme un courant continu où aucune couture n'est nécessaire, où aucun hiatus ne doit être gommé. Mais, là encore, je suis avant tout interrogatif…

La mondialisation entre « religieux archaïque » et « religieux moderne », ou les limites de l'évolutionnisme…

C. G. — Pourrait-on dire alors – comme je le faisais moi-même – qu'il y a ici affrontement du « religieux moderne » et du « religieux archaïque », les États-Unis étant d'emblée dans le premier à la différence de l'Europe, qui doit toujours, elle, raccommoder sans fin cette coupure que vous décrivez ? N'est-ce pas là la différence majeure entre la Révolution américaine et la Révolution française, la république des États-Unis précédant la seconde et se rattachant en cela à une autre tradition démocratique que la nôtre ? À une autre lignée démocratique …

R. D. — Une autre lignée… En effet, le catholicisme n'est pas démocratique par définition, mais par évolution. Le protestantisme, lui, l'est au départ, et dès leur début, les

États-Unis sont démocratiques. Ce qui ne les empêche pas de faire de très *bons* impérialistes. L'impérialisme est une chose et la démocratie en est une autre, savez-vous... Deux choses qui peuvent aller très bien ensemble. Du point de vue qui nous occupe, reste enfin la question du Québec, géographiquement américain mais plus proche de l'Europe par son histoire religieuse, radicalement liée au catholicisme.

C. G. — Une histoire théocratique à sa manière.

R. D. — Tout à fait, et même pétainiste le cas échéant, entre 1940 et 1944. Le Québec a survécu comme un concentré d'arriération française : c'est à ce prix qu'il a gardé son identité.

C. G. — Avec une identité nationale absolument liée au catholicisme, ce qui ne va pas sans poser question à l'heure où il connaît une rapide déchristianisation.

R. D. — Et de ce point de vue, la différence des deux cultures nord-américaines est très révélatrice. Si j'étais historien, je crois que je m'interrogerais sur ces histoires parallèles, voisines, *mais* qui divergent, qui bifurquent... Pourquoi ? La comparaison est notre seul laboratoire.

C. G. — Je connais assez bien le Québec, et il me semble intéressant de constater qu'au moment même où le catholicisme en tant que tel n'y est plus un facteur central d'identité, le français et une certaine tradition française – fondamentalement chrétienne sur le plan culturel – le demeurent malgré tout. Plus vides qu'en France, les églises y sont vendues. Les gens ne s'y marient plus ou divorcent, voire ne font plus d'enfants, un féminisme radical se développe...

Mais il y règne toujours cependant un *ethos* pétri de valeurs catholiques, différentes des valeurs américaines. Par exemple, les Québécois ne sont pas du tout fondamentalistes au sens protestant du terme, et l'on peut voir là un héritage du catholicisme.

R. D. — Heureux héritage en effet que celui-là, qui les préserve relativement du fondamentalisme dans la mesure où le catholicisme implique la médiation institutionnelle et ne reconnaît pas le texte comme *ultima ratio*. Une chance, n'est-ce pas ? Parce que le fondamentalisme est un mot protestant…

C. G. — Pensez-vous qu'on puisse utiliser la division entre archaïque et moderne comme une clé de lecture du religieux, notamment dans le cas particulier de la divergence politico-religieuse des États-Unis et de l'Europe ? Autrement dit, y aurait-il du « religieux archaïque » et du « religieux moderne » ?

R. D. — Pour moi, absolument pas : cette opposition rituelle « archaïque » *versus* « moderne » me paraît même une des plus grandes aberrations du prêt-à-penser contemporain.

C. G. — Vous allez même plus loin puisque vous montrez que la modernité « refabrique » de l'archaïque.

R. D. — L'archaïque, c'est ce qui est au bout de la moder-nité : c'est « l'effet jogging » du progrès technique. Plus vous allez en automobile, plus vous allez compenser cette léthargie musculaire par un nouveau mode d'exercice, en l'occurrence le jogging. Plus il y aura de Coca-Cola, plus il y aura d'ayatollahs, et c'est là un enchaînement décisif à l'heure où l'on nous rebat les oreilles avec le « choc des civilisations ». Beaucoup de sociologues sont tributaires d'un esprit linéaire, inscrit dans l'évolutionnisme traditionnel et son mécanisme univoque de succession conflictuelle entre l'« ancien » et le « moderne ». Pourtant, pour ne prendre qu'un exemple anatomique, les psychiatres ont bien montré que certaines maladies mentales résultaient précisément de la déstructuration du cortex – « moderne » – qui « libère vers le haut » le système limbique « archaïque »... Sur le plan sociétal, la corrosion du traditionnel engendre un corrosif appétit de tradition. Loi d'action et de réaction concordantes...

D'ailleurs, dès lors qu'on récuse cette opposition simpliste entre l'« ancien » et le « moderne », un certain nombre de choses s'éclairent... Les insurrections identitaires particularistes, par exemple, à comprendre comme un sous-produit direct de la mondialisation. Oui, la mondialisation fabrique de la balkanisation : plus l'univers techno-économique est homogène, plus nous avons besoin de singularité politico-culturelle, un peu comme s'il y avait un thermostat de l'appartenance variant en sens inverse de celui de l'effacement des frontières. La déstabilisation des appartenances physiques crée à l'évidence un besoin de territoires d'identification imaginaires, mécanisme ou balancier dont relève parmi d'autres l'islamisme.

C. G. — Donc Bush et Ben Laden font système de ce point de vue ?

R. D. — L'un travaille pour l'autre et vice versa. Ainsi, la caractéristique de l'islamisme, c'est bien la culture hors sol, la diffusion Internet, l'absence d'ancrages ruraux. La culture scientifique et non pas humaniste. Or, c'est précisément parce qu'il n'y a plus de lieux et de territoires concrets que l'on recompose – au besoin par la violence – des territoires doctrinaires. Des patries fantasmées.

C. G. — Dans le cas de l'islam, il y a quand même un socle ethnique à l'œuvre : l'arabité.

R. D. — Et l'aspect, ô combien fédérateur, de la langue en la matière. Je ne le nie certes pas ; ce que je veux souligner, c'est le caractère très daté – du XIXᵉ siècle en l'occurrence – de cette vision où le progrès du savoir fait reculer la croyance… Un optimisme *niais* qui ignore un facteur essentiel : plus vous déracinez un homme, plus vous le mettez en quête de ses racines ; et comme il ne les retrouve plus avec ses mains et ses pieds, il les trouvera dans sa tête, par exemple dans un livre sacré qui lui servira de bouée identitaire.

C. G. — Il est peut-être possible de parler d'évolutionnisme dans le cas de Marcel Gauchet, mais – sans me faire son avocat – on ne peut néanmoins méconnaître son constat que la victoire du savoir techno-scientifique sur le religieux n'a pas entraîné la fin des croyances.

R. D. — Certainement. Mais on peut même aller plus loin en voyant dans la religion un remède aux effets secondaires de l'anomie. Jusqu'ici, on n'a pas en effet trouvé de meilleur système pour domestiquer cette « incroyance à l'état sauvage », puisque dès qu'on assiste à une déstructuration du religieux institutionnel, on voit remonter tous les « para- », les « péri- », les « pseudo-religieux » qui pullulent aujourd'hui un peu partout… De ce point de vue, vive le clerc à l'ancienne !

C. G. — Une question demeure pour moi énigmatique : du point de vue anthropologique en général et en particulier au niveau de la cohésion du groupe sociétal, qu'est-ce qui est premier : le social, le politique ou le religieux ? Il me semble que pour vous, c'est le religieux...

R. D. — Non, le politique me paraît tout autant une conséquence du religieux que l'inverse. C'est la raison fondamentale pour laquelle je ne me crois pas durkheimien, bien qu'on me taxe parfois de cette épithète. La « congénitalité » du politique et du religieux exige d'autres outils.

Valéry l'a fort bien résumé : « Qu'est-ce que l'homme deviendrait sans le secours de ce qui n'existe pas ? »

En ce sens, le politique et le religieux s'éclairent ensemble à cette malfaçon symbolique, qui rehausse ou détraque, les deux peuvent se dire, le mammifère humain. Tous deux, ils consistent à référer un ensemble humain jusque-là flou à un point originaire, supérieur, extérieur, transcendant, qui lui donne consistance et durabilité. Pour le meilleur et pour le pire, ils reviennent également à un déploiement de cette étrange faculté de l'homme qui l'oblige à se mettre en porte-à-faux avec ce qu'il est. Oui, « l'homme passe infiniment l'homme », et c'est là une propriété de l'être humain dont les animaux sont dépourvus. Chez les singes, il y a ainsi une lutte périodique pour la position supérieure, mais ce processus se réduit à remplacer le mâle dominant. Chez les hommes, la lutte pour le pouvoir ne va pas sans une « folie des hauteurs », si j'ose dire, qui consiste à gagner par toutes sortes de mots des sommets invisibles, inaccessibles, pour asseoir sa domination. Comme le montre par exemple l'idée du « droit divin des rois », d'un roi capétien « lieutenant de Dieu en son royaume », l'idéal pour le dominant est d'être pris pour le point de jonction entre le monde humain et un invisible « encore plus dominant ». Est-ce une manie, est-ce une folie – sans doute – mais aussi une sagesse ? En tout cas, c'est notre lot, celui d'une espèce mal fichue et superbement dotée, les deux se disent.

C. G. — Mais sur le plan anthropologique, vous êtes quand même d'accord pour dire que – sans durcir l'opposition entre l'archaïque et le moderne – il y a une période de l'humanité où l'homme est dépossédé d'une certaine autonomie avant de la conquérir au cours d'une autre période historique ultérieure ? Sans affirmer immédiatement que le christianisme a favorisé une telle « libération », disons que cela a été l'incontestable évolution d'un homme qui un jour – ne serait-ce que par les progrès de la science – ne peut plus prendre au sérieux certaines « évidences » proprement religieuses ; un homme qui sait désormais qu'il ne suffit pas de prier la divinité pour obtenir la pluie. Une fois ce changement intervenu dans les structures de plausibilité de la conscience religieuse, peut-on à votre avis parler d'un invariant en matière de besoin religieux ?

R. D. — Là où il y a invariant, il y a toujours aussi des variations, et vice versa ! Néanmoins, je crois que l'on peut reconnaître à bon droit cette référence symbolique comme un authentique invariant de l'être humain, *a fortiori* de l'être collectif humain ; et s'il y a des variations contingentes, elles ne sont pas toujours celles que l'on croit...

Je suis par ailleurs presque aussi sensible que vous au tournant que constitue l'Incarnation, qui me semble même le fait majeur de notre civilisation, puisque cette idée commande

aussi bien au devenir de l'image qu'à l'histoire et à la politique. C'est du reste en hommage à ce fait de civilisation assez
réjouissant que je me définis comme un « chrétien culturel ».

Cela dit, les religions antiques – dont on fait trop bon
marché aujourd'hui – faisaient très bien « circuler » le divin
dans l'humain. Elles roulaient le surnaturel dans la vie quotidienne – moyennant une négociation perpétuelle entre le
visible et l'invisible – que le christianisme nous a fait perdre
en un sens. Il y avait alors une poésie immédiate du mystère :
je pense au « patuit dea » de Virgile, où l'on voit une déesse
en un instant révélée à travers une femme avant de dispa-
raître aussi vite... Lire Homère, Virgile, Horace, c'est bien
découvrir une quotidienneté du divin. Alors que le christianisme, surtout en ce qu'il a de judaïque, a suscité une coupure
entre les univers divin et quotidien. Une coupure pour le bien
d'ailleurs, puisqu'elle a empêché de diviniser les empereurs
romains chrétiens et leurs successeurs ; mais aussi une
coupure néfaste dans la mesure où elle a accentué l'onto-théologie que nous n'aimons pas beaucoup, mais qui a été, jusqu'à
saint Thomas d'Aquin inclus, la vérité du christianisme.

C. G. — Quand je réfléchis à ce problème, je dirais volontiers qu'une des grandes limites du christianisme historique est
en effet de ne pas avoir su aider vraiment les hommes et les
femmes à vivre au quotidien. Oui, le christianisme – surtout
moderne – n'a pas su leur montrer comment vivre en chrétiens la diversité des situations ordinaires, et certains ne
manquent pas aujourd'hui d'y voir la cause de son épuise-
ment. *A contrario*, ce qui fait actuellement le succès des
grandes sagesses de l'Orient, c'est bien qu'elles apprennent
aux hommes à vivre au jour le jour grâce à certaines pratiques

et contenus doctrinaux ou mythologiques. En Occident, en effet, alors que le christianisme médiéval avait quand même l'art d'habiter la quotidienneté, celle-ci s'est peu à peu désacralisée avec le temps, le sacré s'y concentrant sur des moments dits « forts » tels la pratique du dimanche et quelques sacrements. Toutes choses importantes mais qui ne nourrissent pas, ne remplissent pas un vécu jour après jour. Et s'il y a encore beaucoup de « signes » religieux dans nos villes, ils se sont « patrimonialisés » et ne font plus vraiment sens. Quand on voit d'ailleurs le succès des Journées du patrimoine, on peut s'interroger sur ce qui mobilise les myriades de visiteurs vers les cathédrales, les églises et des musées remplis à soixante-dix pour cent d'art sacré…

Le christianisme a-t-il donc perdu sa capacité à innerver l'existence individuelle et collective ? Cette « perte » est-elle liée à la sécularisation de la société et alors en quoi ? Force est en effet de constater que la société chrétienne d'avant la sécularisation parvenait incomparablement mieux à assurer ce minimum vital quotidien…

R. D. — Pour en revenir à l'actuelle « sortie du religieux », il y a sans doute des éléments qui militent en ce sens ; ainsi la séparation de corps des Églises et de l'État, dans quelques pays occidentaux comme la France. Ceci dit, vu la constante diminution du nombre d'États laïques dans le monde, je suis plutôt frappé par les phénomènes suggérant une « entrée » ou un « retour » dans le religieux. On prend l'Europe de l'Ouest pour la planète Terre quand on parle de « désenchantement du monde ».

Ici même, j'ai vu des amis sortir parfaitement laïques de Normale Sup pour les retrouver quarante ans plus tard affirmant l'un son appartenance juive, l'autre son catholi-cisme, le troisième son protestantisme... Des affirmations dont ils auraient rougi dans leurs jeunes années. Je constate aussi qu'un pays occidental supposé « sorti du religieux » comme les États-Unis est capable de lancer une croisade sous la devise « May God continue to bless America » et de proposer l'affichage public des Dix Commandements. Si nous nous tournons maintenant vers nos amis israéliens, que voyons-nous ? Il y a quarante ans, ce pays avait pour idéal le kibboutz, profondément marqué par l'héritage socialiste athée ; aujourd'hui, il est contesté par la *yeshiva*, l'école talmudique... Il y a quarante ans, on ne vous demandait pas votre religion à l'entrée d'Israël !

Je sais bien que nous – à Saint-Germain-des-Prés – nous sommes préservés de tout cela... Mais je demande à nos beaux esprits de voyager un peu, d'aller en Afrique du Sud par exemple, ou au Nigeria, ou au Soudan, ou en Irak... Un pays où nous avions jusqu'ici un régime laïque – certes très dictatorial – mais où nous aurons demain une théocratie plus ou moins électorale. Honnêtement, ce mouvement de « sortie », d'« émancipation » du religieux, qui remplacerait l'obligation collective par un rapport personnel à la croyance, n'est pas ce qui frappe le plus sur la scène internationale.

C. G. — Non, je le constate aussi. Mais ne faut-il pas expli-quer alors cette non-« sortie du religieux » par la menace ressentie par la majeure partie de l'humanité face à une modernité critique et démocratique perçue comme un destin étranger et inéluctable ? Ne pourrait-on pas repérer ainsi une lame de fond moderne – technique et démocratique – avec des espèces d'effets d'hystérésis de nature religieuse ?

R. D. — Oui, mais ces effets sont-ils dérivés, secondaires et annexes, ou bien les indices d'un grand mouvement de balancier en sens inverse ?

C. G. — Nous retrouvons là cette mondialisation qui fabrique et alimente des particularismes tout en constituant pour l'essentiel l'universalisation d'un certain nombre de valeurs. Des valeurs qui deviennent de plus en plus un bien commun transnational, et qui trouvent en conséquence leur expression juridique dans les cours internationales des droits de l'homme, la pénalisation des crimes contre l'humanité, etc. À l'échelle du mouvement de l'histoire, on voit bien ici que la nouvelle indépendance des États est indissociable de cette montée de l'interdépendance, que ce soit pour des nécessités économiques, écologiques, sanitaires… Dans notre monde, on ne peut donc plus rêver d'une indépendance des États-nations échappant à cette interdépendance, laquelle devrait progressivement trouver des régulations, politiques et judiciaires entre autres.

C'est pourquoi je crois beaucoup à la valeur exemplaire de l'Europe, si elle parvient enfin à devenir une véritable Union européenne, c'est-à-dire une fédération d'États-nations… L'occasion pour elle de devenir une sorte de modèle, en tant que première tentative d'une certaine gouvernance commune respectueuse de la légitime souveraineté des États. Un « objet politique non identifié » sans précédent dans l'histoire, où c'est toujours par la guerre et l'autoritarisme que se sont constitués de vastes ensembles transnationaux. Et c'est de cela précisément que ne veut pas le fondamentalisme religieux de type islamique…

Il faut donc bien sûr se poser la question du rapport de cet ensemble inédit au religieux, de la place de ce dernier en son sein. En effet, à la différence de la superpuissance américaine, l'Europe n'a pas à sa disposition cette âme commune, cette énergie de croisade partagée qui – pour le meilleur et pour le pire – permet aux États-Unis d'être forts et agissants au niveau international. Loin de ce modèle transatlantique, l'Europe peut-elle accomplir sa vocation historique par d'autres voies que la contrainte, la guerre préventive, la puissance économique... et le conformisme religieux ?

Au vu de l'état présent du monde, je suis en tout cas découragé par l'inefficacité de l'« utopie chrétienne » dans la marche de l'esprit du temps. En quoi le dynamisme chrétien a-t-il changé la violence de l'histoire ? Sur ce point, j'ai le souvenir d'un article intelligent de Jacques Attali qui voyait l'avenir de ce monde en mouvement appartenir aux organisations non gouvernementales (ONG). Selon lui, les ONG vont ainsi progressivement combler l'inefficacité des États en ce qui concerne l'essentiel de leur mission : la survie des gens qui leur sont confiés, eu égard notamment à la menace écologique ou à celle du sida. Or, même si les militants de ces ONG ne le sont pas au nom d'une confession chrétienne, même s'ils sont d'anciens chrétiens, voire des agnostiques ou des athées, n'ont-ils pas malgré tout quelque chose à voir avec le dynamisme du Sermon sur la montagne ? Ce mouvement me semble en effet témoigner d'une chose : si on ne règle pas tout sur terre par les préceptes d'équité et de justice, on ne peut se dispenser de faire une place à un « plus » qui n'est pas réglementé ; un « plus » qui est simplement un effet de cette loi de surabondance : le plus défavorisé a des droits sur moi et je suis en dette vis-à-vis de lui. Oui, je vois là une sorte de signe d'espoir eu égard au « déficit d'efficacité historique » de l'utopie chrétienne.

R. D. — J'ai peur que vous ne preniez vos désirs pour la réalité. D'abord parce que les ONG dominantes sont les ONG des pays dominants, la plupart du temps en phase avec les stratégies de domination politico-militaire. L'aide publique au développement s'effondre, avec le prix des matières premières, mais la vente de charité se mondialise en concerts humanitaires. Et après ? Il faut être un occidentaliste pour ne pas comprendre cela : dans le Sud, les ONG sont les missionnaires de la nouvelle religion démocratique ; une religion impériale qui avance autant à coups de bombes qu'à coups de kits de survie... ou de parlements gonflables aérotransportés.

Le *french doctor* que vous aimez bien s'est trouvé soutenir la guerre américaine en Irak pour le contrôle des puits de pétrole. Je préférais les missionnaires catholiques à ces missionnaires-là !

C. G. — Mais si les Américains consacrent leurs dollars à l'aide humanitaire plutôt qu'à fabriquer des bombes, c'est tout de même positif.

R. D. — Oh, vous savez, le missile et la bourse d'études vont très bien ensemble. Entre le *hard power* et le *soft power*, la puissance impériale se doit de marcher sur ces deux jambes. Il faut gagner les cœurs et les âmes pour faire admettre la libre circulation des capitaux. Je parlerais plutôt d'un tragique détournement de générosité.

C. G. — Des initiatives humanitaires sont tout de même prises par d'autres pays que l'Union européenne ou les États-Unis...

R. D. — Bien entendu. L'élan de conversion inauguré par saint Paul et la dé-ethnicisation de la foi chrétienne qui en découle ont fait d'un certain universalisme notre marque de fabrique occidentale. Malheureusement, nous avons tendance, pour le meilleur et pour le pire, à vouloir porter le poids du monde entier, mais je suis moins confiant que vous dans la « religion du droit », qui me semble surtout la religion *des ayants droit.*

C. G. — Et, selon vous, cela ne peut pas évoluer ?

R. D. — Prenons par exemple les tribunaux internationaux dont vous parliez... Je ne vous suis pas sur ce terrain : comment parler d'un droit international – c'est-à-dire au fond d'un christianisme incarné dans la vie politique mondiale – alors qu'on n'a jamais vu un fort comparaître devant un tribunal de faibles ? Un vainqueur comparaître devant un tribunal de neutres ou de vaincus ?

Quand monsieur Bush, que n'importe quel lecteur de la charte des Nations unies peut identifier comme l'auteur d'un « crime contre la paix », sera inculpé devant l'un de ces tribunaux dont vous parlez, alors je dirai qu'un saut qualitatif aura été fait. Pour le moment, je vous le dis carrément : dans toutes ces parodies, je ne vois rien d'autre que « business as usual ».

Mais revenons à la « sortie du religieux ». Il y a effectivement en Occident une relative indépendance du politique vis-à-vis du religieux, mais je ne dirais pas cela du social : les États-Unis semblent être une société constitutivement religieuse. La séparation des Églises et de l'État, le fameux amendement de la Constitution US, veut simplement dire que les Églises y sont libres de l'État... mais celui-ci n'y est pas libre des Églises, et encore moins *des Écritures* ! Comme vous le savez, le Sénat américain inaugure ses séances et ses sessions par des prières collectives, le président prête serment sur la Bible, et les conventions démocrates comme républicaines baignent dans une ferveur patriotico-biblique. Dans ces shows, alternent télé-évangélistes, prêcheurs et chanteurs de rock, avec de temps en temps un pauvre discours d'homme politique, qui ferait un peu honte ici à un conseiller municipal...

C. G. — Sur le plan politique, reste que la structuration de la société américaine est neutre par rapport aux religions, ne serait-ce qu'en raison de la sacralisation des libertés religieuse et d'opinion.

R. D. — C'est la continuité dont je vous parlais : le mariage dès l'origine de Dieu et de la liberté. Un lien qui a donné une pérennité, une résistance et une bonne conscience à des croyances et à des pratiques religieuses, loin d'être bouleversées comme chez nous par la cassure révolutionnaire. Mus par la liberté de conscience, les fondateurs de la nation américaine sont allés vivre leur foi dans le « Nouvel Israël », la nouvelle Terre promise. Les Américains sont donc toujours fidèles à leur tradition, et je ne vois pas de grande poussée « laïcisatrice » ; au contraire, j'ai l'impression de voir un certain recul par rapport aux années 1960-1970... Rappelons-nous par exemple Kennedy – premier président catholique de l'histoire des États-Unis – arrivant au pouvoir et soucieux de ne jamais évoquer son appartenance religieuse... À l'opposé de cette réserve, les confessions, les dénominations religieuses et les positions qui en découlent s'étalent aujourd'hui sur les tribunes politiques, jusqu'à s'arroger le statut d'arguments dans le débat public. Voilà pourquoi je demeure plus mitigé que vous sur cette question...

C. G. — Constatons malgré tout que les Américains partagent avec nous la même modernité socioculturelle et qu'il ne faut donc pas se faire trop d'illusions sur l'avenir de la foi des jeunes Américains. Ces derniers me semblent profondément déchristianisés et critiques vis-à-vis de ce qu'on a pu leur apprendre dans les écoles... voyez la mentalité répandue dans certaines universités. C'est tout de même une future élite, surtout dans les sciences humaines et les sciences dures, en particulier biologiques... Une future élite en tout ou partie agnostique.

R. D. — Vous avez raison pour ce qui est des universités, mais c'est un monde à part. C'est l'Amérique que nous aimons et malheureusement... elle ne représente rien ou presque rien face aux masses de l'Amérique d'en-bas : celle des États qui votent Bush.

Non, l'importance du religieux perdure – et se renforce – parce qu'il est au fondement du pacte social. L'homme américain a des droits en tant que créature de Dieu, non en tant que créature douée de raison... Le « logiciel » de la métropole n'est vraiment pas le « logiciel » français. Prenez, par exemple, l'épisode du créationnisme...

C. G. — Le refus de l'évolution des espèces, le refus de la théorie de Darwin, le refus que l'homme descende d'ancêtres animaux ? Par rapport à l'histoire de l'esprit humain, je crois qu'il s'agit là d'une survivance transitoire, qui ne sera plus tenable dans vingt ans !

R. D. — Les faits ne vont pas dans ce sens... Au fond, Claude Geffré, vous êtes plus marxiste que moi. Vous attendez la parousie. Moi, j'ai plutôt une conception en spirale du cours des choses. Je n'attends plus le millenium. À la différence des sociétés orientales, nous sommes d'ailleurs la première civilisation fondée sur le temps – comme histoire du salut ou histoire de l'émancipation humaine – … qui n'attend plus rien d'essentiel du futur. C'est un phénomène sans précédent. C'est bien la première fois dans l'histoire de l'Occident que ce dernier ne voit plus dans le « progrès » la promesse d'un mieux, mais plutôt la crainte, voire la certitude, d'un pire. Dans une société « fléchée » par un vecteur temporel comme la nôtre, cette inversion des flèches est sidérante. Là est sans doute la cause du syndrome de mélancolie généralisée. Ce n'est pas un *no future* mais plutôt un « futur = présent ».

Certes, il reste bien sûr en Occident quelques chrétiens comme vous qui attendent toujours le retour de Jésus Christ. Mais l'Occidental moyen, comme moi, n'attend plus rien. Ne serait-ce que sur le plan matériel : il sait que sa retraite va baisser, et que si sa vie va sans doute se prolonger, son niveau de vie baissera d'autant… Et c'est la première fois depuis 1750. Alors qu'en 1750, il y avait non seulement cet espoir dans le progrès matériel, mais aussi un schéma de salut collectif encore vivant grâce à la *chrétienté*. Alors que nous, nous sommes face à la première panne d'« essence »…

C. G. — Je ne suis pas aussi pessimiste que vous. Le progrès, dites-vous… Bien sûr, on n'attend plus de miracle. Mais il me semble que la mondialisation en elle-même comporte justement des possibilités tout à fait nouvelles. Des vieux idéaux, comme la démocratie, la paix, une certaine gouvernance mondiale, etc., sont des utopies qui s'imposent comme nécessaires si nous voulons survivre. Alors ? En ce sens-là, je vois un certain avenir possible. Malgré la victoire du « non » le 29 mai 2005, l'Europe demeure de ce point de vue une des rares utopies dans le monde contemporain qui représente un modèle historique non encore réalisé. En termes de paix, d'internationalisation du droit et surtout de conscience d'une appartenance commune à la même famille humaine. En ce sens-là, je pense que le pire n'est pas toujours sûr… Ou, pour parler comme Edgar Morin, l'improbable est possible. Des surprises demeurent toujours possibles malgré l'« inversion des flèches » que vous évoquez. Voyez ce qu'on disait par exemple il y a vingt ans de la démographie : « fléau », « bombe à retardement »… Et on l'a quand même maîtrisée, contre toute attente. De même, le scandale actuel de la faim dans le monde, on sait que c'est un objectif à notre portée malgré d'énormes obstacles. Ce n'est pas une pure fatalité… Je suis également sûr qu'on finira par triompher du sida comme on l'a fait pour d'autres pandémies qui semblaient invincibles en leur temps. Oui, il demeure certaines utopies encore crédibles.

R. D. — Oh, vous savez, un autre virus viendra… Oui, je vous l'accorde : l'utopie altermondialiste… Mais même ceux qui s'y adonnent les déclarent « utopies concrètes », alors qu'avant, il s'agissait d'une évidence, d'une confirmation, voire d'un automatisme.

C. G. — Mais là, vous en revenez à vos « religions séculières », alors qu'il y avait bien quelques gens encore lucides, même au temps où celles-ci triomphaient.

R. D. — Oui, c'est à elles et eux que je pense. Quand vous me parlez des « lucides » d'alors, vous voulez dire ceux qui croyaient que la Société des nations allait garantir la paix du monde ? On a eu les mêmes doux rêves avec l'ONU… Je crois bien que les « utopies internationales » dont vous parlez ont des cycles de vie de plus en plus courts. Qui parle encore sérieusement aujourd'hui de l'ONU comme d'un espoir de « nouvel ordre mondial » ? Cela ne fait pas très sérieux.

C. G. — Attendez, pensez un peu au catastrophisme de la guerre froide. La dissuasion n'a-t-elle pas finalement été efficace ? On parle des « Trente Glorieuses », mais cela fait surtout soixante ans que l'Europe est en paix.

R. D. — Grâce à la dissuasion nucléaire, je vous l'accorde. Il y a tout de même eu la Yougoslavie…

C. G. — Surtout, je vous dirai une chose. Il n'y a que les Occidentaux qui ne croient plus au progrès. Partout ailleurs, les hommes l'attendent, et le moindre accès à ses avantages est pour eux un motif d'espoir. Je crois en fait que la « fatigue civilisationnelle » que vous décrivez est un phénomène avant tout européen, et encore plus français. Les États-Unis eux-mêmes conservent une bonne dose d'optimisme. Peut-être un peu trop, d'ailleurs… Mais cette fatigue générale est un phénomène de postmodernité, alors que l'essentiel de l'humanité accède tout juste à la modernité, voire l'attend toujours.

R. D. — Vous avez là-dessus raison : ne nous prenons pas pour le nombril du monde.

2

Entre « faire sens » et « faire lien » : comment définir le religieux ?

Distinctions et problèmes...

Claude Geffré (C. G.) — À écouter votre analyse de la situation des États-Unis, je retrouve en tout cas ce qui m'intéresse le plus dans la perspective que vous développez de livre en livre. À savoir un pari sur la permanence du « religieux »... Or le devenir du « religieux » a toujours été pour moi une interrogation, surtout face à cet Occident que je viens de dépeindre en situation postchrétienne, postreligieuse et finalement plus ou moins nihiliste. À entendre certains, les religions semblent de fait y avoir été remplacées par de nouvelles « mythologies », qu'elles soient politiques, artistiques ou culturelles... Mais malgré votre intérêt pour ces

« religions séculières », votre travail souligne au contraire que les « vraies » religions et leurs invariants perdurent, fût-ce dans une telle époque de « postreligion » et de démythologisation scientifique généralisée.

RÉGIS DEBRAY (R. D.) — C'est vrai. Mais avant tout, je n'admets plus ce terme de « religion », comme je l'ai expliqué dans mon dernier petit livre, *Les communions humaines* (Fayard). Car c'est un terrible mot écran dont il serait bon de se défaire autant que possible. Pour limiter les dégâts en attendant d'abolir ce terme piège, il faut au moins en examiner l'étymologie : voir d'où il vient, pourquoi et comment il est apparu et s'est répandu… jusqu'à tout embrouiller ! Comme vous le savez, il n'existe ni dans l'Ancien Testament, ni dans le Nouveau, mais dans le monde romain.

C. G. — Et il ne convient pas, par exemple, pour les cultures de l'Extrême-Orient.

R. D. — Ce mot de « religion » est l'ennemi public numéro 1. Mais cela étant dit, il faut bien vivre : il y a *Le Monde des religions*, « l'Institut européen en sciences des religions », etc. Personnellement, dans le terme « religieux », j'inclus les « religions séculières » comme des ersatz, qui me semblent répondre aux mêmes jeux de langage, aux mêmes constructions, aux mêmes logiques anthropologiques fondamentales que les « religions classiques ». À savoir, pour l'essentiel, tenir le lieu symbolique d'une absence, qu'il s'agisse d'un futur ou d'un passé idéaux, d'un âge d'or. Et quand je soutiens la permanence du « religieux » dans notre société, il s'agit de la permanence de cette valeur absente, de la permanence d'une absence, si vous voulez. Que ce soit la

« société sans classes », la « République idéale » ou le « Royaume des cieux »…

C. G. — La permanence d'une utopie… opérationnelle d'un point de vue social ?

R. D. — On pourrait dire cela. Je dirais la permanence d'un « invisible », d'un « immatériel ». Car enfin, nous humains sommes avant toute chose des « animaux symboliques » : quand quelqu'un meurt, partout et toujours, nous le mettons en rapport avec quelque chose d'autre que sa carcasse.

C. G. — C'est pour cela que le terme de « sceptique » ne me semble pas une bonne définition de votre posture…

R. D. — Non, car je sais bien que si je revenais dans trois mille ans d'ici, je retrouverais quelque chose qu'on appelle aujourd'hui du « religieux ». Même si le christianisme est enterré dans ce futur lointain – ce dont je doute –, il y aura « quelque chose » de vivant. Un culte astral, un culte de la galaxie, une mythologie aberrante, que sais-je ?

C. G. — Ce genre de « culte » relèverait d'une croyance de l'ordre de l'imaginaire ou de l'illusion. Y aurait-il alors « une expérience religieuse » au sens fort ? Je sais que vous n'aimez pas ce mot d'« expérience »…

R. D. — Ah, « l'expérience religieuse au sens fort »… Vous voulez dire quelque chose comme les Croisades ?

C. G. — D'un point de vue méthodologique, vous tenez beaucoup à l'idée de « fait religieux », qui se caractérise par sa neutralité… Est-ce parce qu'en la matière vous n'aimez pas tout ce qui relèverait d'une subjectivité, de ce qu'on appelle justement en général « l'expérience religieuse » ou « spirituelle » ? Mais peut-on parler de religion sans parler d'expérience ?

Dans vos livres, en outre, vous faites un peu votre « Malraux des religions » en jouant de votre immense culture pour sauter à pieds joints sur les siècles et les civilisations. D'où mon autre question : le « religieux » est-il selon vous homogène dans le temps et dans l'espace ?

R. D. — J'essaye en tout cas de dégager ses invariants anthropologiques...

C. G. — Entre autres différences distinguant les religions les unes des autres, ne faut-il pas ainsi considérer la question « herméneutique », celle de l'interprétation ? L'interprétation n'est-elle pas en effet plus liée à certaines religions qu'à d'autres, comme les monothéismes qui ajoutent nécessairement aux pratiques, aux rites et aux images des textes censés avoir un sens ? Et quels peuvent être les rapports entre l'herméneutique qui est mon domaine privilégié et la médiologie dont vous êtes le héraut ?

La médiologie et la théologie herméneutique face au « religieux »

C. G. — À ce que je sais, la médiologie vise avant tout ce que représentent les médias dans notre société ; et elle prend sérieusement ses distances vis-à-vis de ce qui relève, de près ou de loin, de l'herméneutique ou même de la sémantique. En ce qui concerne le fait religieux, elle s'intéresse donc surtout au domaine de sa transmission, en soulignant l'importance des moyens de celle-ci, dans quelle mesure les outils de transmission modifient le contenu de l'objet à transmettre. La théologie herméneutique que je pratique s'intéressant d'abord quant à elle à la question du sens, ou plus exactement, du « faire sens »…

R. D. — Pour vous dire carrément les choses, le « faire sens »… ne m'intéresse pas. Vous vous rendez compte ! C'est le « faire lien » qui m'intéresse… Le sens ne m'intéresse pas et c'est pour cela que je suis admiratif devant un herméneute comme devant un acrobate faisant au cirque de magnifiques sauts périlleux à travers des cercles enflammés : en tant que spectateur, j'applaudis des deux mains… sans que cela m'intéresse personnellement beaucoup du point de vue de mon travail intellectuel. Car je crois que d'une certaine façon, le sens du sens c'est le lien, le sens n'étant qu'un « moyen » de ce lien.

Sur cette thématique, je me sens donc *a priori* aux antipodes de ce que vous décrivez et défendez magnifiquement. Ce qui m'intéresse, moi, ce sont les institutions et les techniques. Quant au sens… Vous allez me parler des Écritures saintes, et je vais vous dire « mais pourquoi sont-elles saintes », pourquoi celles-là et pas d'autres ? Je pense par exemple à un intéressant évangile éthiopien du IVe siècle après Jésus-Christ. Ce qui m'intéresse, moi, c'est de savoir pourquoi cet évangile ne fait pas partie du canon catholique… Des problèmes institutionnels en somme. Sur la question du sens, je serai au fond d'accord avec vous : « les quatre sens de l'Écriture », etc., etc. Mais ce n'est pas ma problématique.

C. G. — Vous acceptez tout de même l'idée d'« effet de sens » ?

R. D. — Quand vous me préciserez ce que vous entendez par là...

C. G. — Pour qu'un discours serve à communiquer, il faut que des « effets de sens » rentrent en ligne de compte ; ce qui ne veut pas dire qu'il y ait une « signification », au sens métaphysique du terme.

R. D. — Oui, d'accord...

C. G. — De plus, comme philosophe, vous n'arrêtez pas de vous poser la question de la signification non seulement de certaines institutions, mais aussi d'artefacts et d'objets culturels...

R. D. — Certes, mais pour moi, le sens demeure dans la fonction.

C. G. — Mais quand vous étudiez le sacré, cela ne peut être uniquement dans la mesure où il *fait lien*, où il fabrique de la cohésion sociale. Du point de vue anthropologique en effet, on ne peut ignorer la signification de cette dimension « sacrée » de l'être humain par rapport à d'autres dimensions, purement politiques, économiques, esthétiques ou autres. Cela nous conduit à l'aspect proprement épistémologique de notre question : si on veut rendre compte du fait religieux, votre point de vue selon lequel « le lien prime le sens » est-il suffisant ? Cet « angle », certes en partie pertinent, permet-il, oui ou non, d'embrasser la totalité du problème ?

R. D. — Comme le dit un ami bénédictin du monastère d'En Calcat, « il n'y a pas d'intérieur auquel ne corresponde un extérieur ». Et justement, ma démarche intellectuelle me conduit à ne traiter que des « extérieurs ». Qu'il existe des

« intérieurs » passionnants et pleins de vie, sans aucun doute, je les respecte mais je tourne autour et n'y entre pas.

C. G. — Et pourtant, quand vous parlez du « feu sacré » dans votre livre, cette métaphore du feu me semble établir un lien avec l'idée d'une « génération » antérieure aux faits sociaux. D'ailleurs, ce que je retiens dans votre pensée du « religieux », c'est bien cet aspect génératif. À savoir, une question préalable à toute autre : « À quoi sert ce religieux non seulement dans une société donnée, mais aussi pour l'individu ? » En quoi génère-t-il un élan ?...

Cette attention explique à mon sens pourquoi vous êtes à ce point conscient de l'ambiguïté constitutive du religieux. Pourquoi vous êtes à la fois extrêmement sceptique à son égard et sensible à sa valeur humaine, sans laquelle on risque d'avoir des sociétés de plus en plus « aplaties »... En cela, son éventuelle disparition vous semblerait dommageable pour l'homme, n'est-ce pas ?

R. D. — Tout à fait, mais ne nous inquiétons pas trop : il me semble impossible que le religieux disparaisse des sociétés humaines, la « fonction religieuse » me paraissant en quelque sorte un véritable « invariant » d'un point de vue anthropologique.

C. G. — Donc, en cela, elle fait sens pour l'homme !

R. D. — Disons que, pour moi, elle sert à quelque chose...

C. G. — Oui, elle fait avancer dans l'énigme de l'être humain, qui n'est pas réductible à ses « utilités », à son fonctionnement... Attention, j'ai dit « énigme », je n'ai pas dit

« mystère ». Mais « faire lien », en tout cas, vous paraît toujours essentiellement religieux.

R. D. — C'est bien pourquoi tout cela m'intéresse.

C. G. — Mais si je comprends bien, si la médiologie étudie les problèmes de transmission et de communication, quel rapport avec le religieux ? Autrement dit, quand vous avez accédé épistémologiquement à cette discipline, que cherchiez-vous à dépasser ? Une sociologie « fonctionnelle » ?

R. D. — Attention, j'apporte ici une précision préalable fondamentale : j'oppose totalement transmission et communication. Elles sont pour moi comme l'eau et l'huile. La communication, c'est le transport d'une information dans l'espace, la transmission, c'est son transport dans le temps. Plus il y a de communication, moins il y a de transmission. La communication est donc mon « ennemie numéro 1 » ; c'est peut-être pourquoi je n'ai pas de bons rapports avec les journaux…

Pour revenir à votre question, la médiologie visait en fait à rendre compte d'un phénomène encore bien mal expliqué : l'efficacité symbolique. Qu'est-ce qui fait en somme qu'une parole « devient » une Église, qu'un livre « devient » un parti ? Qu'est-ce qui fait que les symboles immatériels ont des effets matériels ?

C. G. — D'où par exemple votre étude sur les liens et les oppositions entre l'« image » et l'« icône » ?

R. D. — Oui, en partie, sur les effets et l'autorité de l'image. Mais quant au sens des images ? Moi je m'occupe de leur fonction, en remarquant qu'il y en a eu plusieurs au cours du temps… Pour résumer, je suis – d'un point de vue herméneutique – totalement agnostique. Vous me dites : telle phrase veut dire telle chose… Bon… Mais moi, ce que je cherche à savoir, c'est qui l'a dite et comment, pourquoi on l'a conservée et qui a intérêt à la redire. De ce point de vue, la question de la formation du canon catholique m'intéresse beaucoup.

C. G. — Je vous rassure tout de suite : vous n'êtes pas le seul à être réticent vis-à-vis de l'herméneutique et de sa façon spécifique d'aborder la question du sens. En la matière, toute la linguistique moderne – l'analyse structurale, la sémiotique… – est ainsi aux antipodes de l'herméneutique. Pour ces disciplines en effet, faire sens à l'intérieur d'un discours, ce n'est pas faire sens par rapport à une réalité ou à un sujet humain… Si ces sciences n'échappent pas au problème du sens, leur question à son égard est de saisir simplement le fonctionnement des « effets de sens » à l'intérieur d'un texte, de déterminer les origines du sujet producteur d'un discours ou la situation de son récepteur… Dans ces problématiques structurales, on s'occupe ainsi par définition du « sens », mais ce n'est pas là le « sens » auquel s'attache l'herméneutique. Car cette dernière essaie justement de dépasser les seules significations du langage pour se demander si le discours concerné fait sens par rapport à une « réalité », qu'il s'agit de déterminer (surtout quand celle-ci n'est ni visible, ni empirique…). Recherche d'un sens caché à partir d'un sens immédiat – et, plus largement, d'un sens de l'histoire et de l'homme –, l'herméneutique, au sens traditionnel du mot, se trouve donc de ce point de vue attaquée frontalement par tout le mouvement structuraliste et ses suites (« déconstruction », « formalisme logique », etc.). En résumé, cette herméneutique qui ne renonce pas à la compréhension – si magnifiquement illustrée par un Paul Ricœur – constitue en fait un type de philosophie récusé par beaucoup de gens aujourd'hui. À commencer par certains exégètes – vous les avez connus aussi bien que moi à l'École biblique de Jérusalem par exemple – uniquement en quête du sens littéral des textes qu'ils étudient. Des savants remarquables, seulement soucieux de la genèse du sens d'un mot, des conditions de sa production, du milieu ambiant et de l'environnement qui y ont présidé, etc. Autant de chercheurs qui évacuent – au moins provisoirement – la question d'un sens envisagé dans son rapport à un « référent », à un « mystère » tel que le « mystère de Dieu » ou le « mystère du Christ »… Tout cela pour dire en un mot que vous n'êtes pas le seul à attaquer l'herméneutique, cette méfiance étant en plus renforcée chez vous par la démarche médiologique qui court-circuite derechef le problème de l'interprétation. Une telle attaque ne vous est donc pas propre…

R. D. — Bien entendu… D'ailleurs, le mot « attaque » est trop fort…

C. G. — Oui, disons plutôt une non-prise en considération. Mais sur le fond, je me demande comment une telle mise à distance est possible. Comment est-il possible d'échapper au sens quand on s'occupe de ce qui fait lien ?

R. D. — C'est la vraie question. Reste que d'un point de vue médiologique, le sens du sens, ce n'est pas le sens, mais c'est le lien. Le sujet religieux n'est pas pour moi le sujet individuel, mais le sujet collectif : le « nous », le groupe humain. C'est la croyance, au fond, qui intéresse ma démarche : qu'est-ce que croire et à quoi ça sert ? Comment cela fonctionne-t-il ? En effet, il me semble que l'idéologie des Lumières n'a pas bien compris ce qui se passe avec la croyance. J'ai quant à moi un petit modèle pour l'expliquer, autour du « principe d'incomplétude », avec des frontières... Un système conceptuel qui fonctionne assez bien, mais sans recourir à l'herméneutique... Ceci dit, reconnaître qu'on se passe de l'herméneutique ne veut pas dire qu'on est contre ! Ou qu'on la dévalue, mais ce n'est simplement pas mon champ, mon domaine. Chacun a son vocabulaire et ses options fortes et il y a un moment dans la vie où les « cartilages » se durcissent, fussent-ils méthodologiques.

C. G. — Oui, mais enfin, je me permets de penser que – comme tout être vivant – vous n'êtes pas nécessairement fidèle en permanence à votre « boîte à outils ». On ne peut quand même pas vous enfermer dans la médiologie : vous êtes suffisamment philosophe pour cela.

R. D. — J'espère bien et je m'ennuierais trop sinon. Mais vous, par exemple, vous vous intéressez certainement aux significations de l'Apocalypse de saint Jean, quand moi je m'intéresse à la façon dont ce texte a été considéré comme canonique. Pourquoi l'Apocalypse de saint Jean et l'Évangile qui lui est attribué sont-ils encore là aujourd'hui alors que d'autres évangiles – comme ceux de Jacques ou de Thomas – ne le sont plus ? Qui en a décidé et comment ? Et pourquoi le premier est-il jugé authentique – « canonique » et donc digne de foi, faisant autorité – et pas les autres ? Quels sont les « gestes » – les démarches institutionnelles, idéologiques... – cachés derrière une telle décision ? Et pourquoi – vous, Claude Geffré – vous pouvez nous dire aujourd'hui d'aussi belles choses seulement sur cet Évangile ou sur l'un des trois autres « canoniques » alors qu'il en existe sans doute une trentaine, négligés car considérés comme « apocryphes » ? Vous êtes-vous posé les questions de savoir pourquoi il n'en reste que quatre et pas trente ? Et qui a pris cette décision – cette « circonscription du légitime » –, à quel moment et pour répondre à quel besoin ? J'ai personnellement une réponse et ce qui m'intéresse, c'est de la développer et de la préciser. Vous allez me dire : « Mais ce n'est pas là le problème ; vous ne vous rendez pas compte, la grandeur de l'Apocalypse... Le "fond"... Le "sens"... » D'accord, et peut-être que finalement ces deux approches se complètent l'une l'autre. Je ne dis pas qu'elles s'excluent. Encore une fois, je suis... – comment dirais-je – intéressé par l'herméneutique, mais pas dans ma recherche personnelle. Je dis cela pour vous montrer ce qu'est un souci de médiologue : déterminer comment un objet culturel se constitue par sa transmission même.

C. G. — Répondre à la question de l'établissement d'un canon, le canon des Écritures, est très complexe. Parce qu'une part de la décision provient de la communauté croyante – « interprétante » –, celle qui se reconnaît dans cet écrit. Et parce que sont aussi à l'œuvre dans ce type de processus des conjonctures historiques beaucoup plus contingentes. Des enjeux de pouvoir par exemple.

En la matière, je pars généralement du principe suivant : une écriture dite « inspirée » ne l'est pas par elle-même, mais elle peut justement être dite telle parce qu'elle est devenue canonique, en étant « canonisée » par la communauté croyante à un moment donné. En un mot, ces textes sont « inspirés » parce qu'ils sont devenus canoniques, et non l'inverse. Une telle distinction me paraît très importante pour faire la part de la contingence historique, que vous soulignez à bon droit.

Vers la fin du IIIe siècle, la constitution du canon chrétien est donc comparable à ce que pourra être une affirmation dogmatique dans la suite des siècles : c'est un acte d'autorité de l'Église – de la communauté chrétienne – par lequel ceux qui ont le pouvoir à ce moment-là se reconnaissent dans certains écrits plutôt que dans d'autres. Choix qui n'est pas totalement arbitraire, décision qui n'est pas totalement l'effet des passions et des intérêts, même si ceux-ci y ont probablement leur place. Des intérêts sans doute « humains, trop humains », mais aussi moraux, idéologiques et expérientiels en face de Marcion, en face des gnostiques et d'autres…

Alors, pourquoi quatre Évangiles et pas plus ? Parce que l'Église s'est reconnue – a reconnu sa foi, son expérience individuelle et collective, sa tradition orale – dans ces écrits-là plutôt que dans les dénommés « apocryphes », qui leur ressemblaient à bien des égards. Et parce qu'en conséquence, il a bien fallu définir une « frontière » entre ces Évangiles « officiels » et les autres. Frontière souvent floue d'ailleurs, certaines parties des écrits dits inspirés ayant un indéniable air de famille avec les apocryphes, surtout en ce qui concerne l'enfance de Jésus…

Et pourquoi de ce point de vue maintenir l'Apocalypse de Jean ? Probablement parce qu'on pouvait en faire une interprétation suffisamment cohérente avec ce qui constituait le « noyau dur » de la foi apostolique, c'est-à-dire avec ce qu'était devenue la foi primitive telle que la vivait la première communauté chrétienne. Peut-être aussi parce que ce texte avait des qualités intrinsèques lui permettant d'être de loin en loin « réactivé ».

R. D. — Alors là, je vous interrogerai… « La » communauté chrétienne ? N'y avait-il pas alors *des* communautés chrétiennes, *des* structures d'autorité, *des* intérêts administratifs ? La nécessité de borner, de délimiter *des* territoires d'autorité ? Pour tout vous dire, « la » communauté chrétienne comme unicité univoque, cela me semble vraiment une reconstruction *a posteriori*.

C. G. — Si vous voulez aller plus loin, voyez les émissions de Mordillat et Prieur…

R. D. — J'ai critiqué au plan conceptuel la démarche au reste intéressante de Mordillat et Prieur. Entre autres, je mets surtout en cause leur « priorité à l'origine » : la poursuite fantasmatique de « l'origine » d'un phénomène comme la clé de tout son déploiement ; ce qui me semble une « illusion d'optique » et un renversement de la réelle dynamique des choses.

Théologie herméneutique et théologie des religions

C. G. — Pour mieux situer notre différence, laissez-moi d'abord expliquer un peu mon point de vue et ma démarche : ceux de la théologie herméneutique et de la théologie des religions.

Il me faut tout d'abord dire que la théologie herméneutique n'a de sens que par rapport au devenir de la raison philosophique… En effet, la théologie classique a toujours utilisé la raison spéculative au sens aristotélicien du mot, mais à partir du moment où la philosophie n'a plus été principalement une métaphysique, ni une philosophie du sujet, mais où elle est devenue une philosophie du langage, le théologien a essayé de prendre en compte ce devenir de la raison. Une raison envisagée moins comme spéculative – c'est-à-dire réfléchissant sur la vérité d'une manière objective – que comme raison historique ne dissociant jamais la compréhension de l'interprétation. Avec ce « tournant herméneutique », l'objet immédiat de la théologie devient moins des vérités intemporelles que des textes ; à savoir les textes de la tradition chrétienne, à la fois les textes sources et la tradition suscitée par ces textes, les théologies « régionales » (spécialisées) et les formulations théoriques correspondantes.

En ce sens, la théologie herméneutique a moins comme objet immédiat cette réalité invisible que nous nommons « Dieu » que les discours sur Dieu, et l'interprétation de ces discours. Et pour ce qui nous occupe ici, je ne dirais pas que nous allons confronter la médiologie et la théologie herméneutique en général, mais plutôt que je vous répondrai en théologien des religions. Une théologie qui fait justement appel à une méthodologie de type herméneutique.

À la différence de l'histoire des religions, la théologie des religions a en effet pour préalable – comme précompréhension en quelque sorte – une certaine inconditionnalité de la foi ; c'est-à-dire, dans la tradition où je me situe, une certaine inconditionnalité de la foi chrétienne. Pour autant, cette théologie n'est pas uniquement une théologie confessante : elle est aussi une théologie critique, raison pour laquelle elle a absolument besoin de l'objectivité de l'histoire des religions.

Je dirais en conséquence que la théologie des religions s'intéresse à tous les faits religieux – aux autres traditions religieuses – sans, bien entendu, porter le moindre jugement *a priori* sur ces autres traditions. Pour autant, ce qui distinguerait selon moi la théologie des religions de l'histoire des religions, c'est que la première s'intéresse à d'autres religions que le christianisme sans faire abstraction de la manière dont chaque sujet religieux est engagé par rapport à son système religieux. Cela me semble un point important.

Je dirais aussi qu'à la différence d'un certain positivisme passé, il existe de plus en plus de complicité entre la théologie des religions comme science herméneutique et les sciences humaines des religions, faisant elles-mêmes appel à l'interprétation. Ce qui nous ramène à la question du fait religieux ; sa nature, son « essence », si elle existe… Car, de mon point de vue, il me semble qu'on ne peut parler du fait religieux sans immédiatement l'interpréter.

J'ajoute – et ceci nous conduirait bien sûr à Hegel – qu'envisager l'étude du fait religieux dans la perspective de la théologie des religions inclut l'étude des traditions linguistiques, faits de langage, rites, pratiques, institutions, organisations sociales ; toutes réalités envisagées ici comme objets d'interprétation.

Il existe ainsi une grande proximité entre les sciences humaines de la religion – en incluant peut-être la médiologie – et la théologie des religions, parce que toutes ces disciplines sont finalement des disciplines herméneutiques. Et je crois beaucoup à une sorte d'enrichissement mutuel de ces disciplines les unes par les autres. De plus en plus, en effet, l'histoire des religions ne peut se contenter d'être purement positiviste, ou d'en rester à une simple perspective structuraliste de type ethnologique : en fait, elle ne peut faire abstraction de ce qu'on peut appeler une « anthropologie religieuse ».

Pour le dire autrement, on ne peut désormais s'intéresser simplement à la diversité des rites, des mythes, des pratiques, en faire le « relevé topographique » en quelque sorte, sans se poser la question de l'intentionnalité religieuse qui préside à leur élaboration. Sans se poser la question du dynamisme qui est à l'origine de ces manifestations diverses du religieux, la question de leur sens pour les sujets qu'elles impliquent. Il y a donc ici un certain air de famille entre la théologie elle-même et ces sciences des religions ainsi définies : que ce soit l'histoire des religions, la psychologie des religions, ou éventuellement la « médiologie des religions ». Des sciences qui n'assimilent pas la connaissance du fait religieux à sa description exhaustive, mais qui sont déjà engagées dans un travail d'interprétation à son égard ; ce qui revient finalement pour elles à prendre en compte cette énigme de l'homme qui, dans sa contingence, « projette » un certain absolu. Oui, il me semble bien y avoir là une analogie avec la théologie des religions qui privilégie bien sûr ce rapport particulier de l'homme à Dieu – ou à l'absolu, fût-il plus ou moins « personnalisé » – que l'on appelle la foi ou la croyance. Un peu comme vous-même, Régis Debray, définissez finalement le religieux comme l'expression d'une certaine incomplétude de l'homme par rapport à l'émergence d'un « plus », qu'il soit plutôt situé du côté de l'origine, ou du futur… Cela revient à reconnaître un fait fondamental et lourd de sens : une société humaine ne peut fonctionner qu'en se projetant vers un certain « ailleurs » dérobé à son immédiateté quotidienne.

R. D. — La médiologie n'a ni l'ancienneté, ni l'ambition, ni le prestige de la théologie herméneutique. Son suffixe de « -logie » – dont on abuse un peu trop aujourd'hui – désigne simplement peut-être une formation discursive individualisée, et plus sûrement encore une sensibilité, une problématique, une approche des faits de culture. Cette approche est d'orientation « matérialiste » si on enlève au terme sa résonance idéologique, raison pour laquelle je devrais dire plutôt « matiériste ». En fait, j'aime à définir la médiologie comme un « matérialisme religieux »...

Mais revenons à son objet propre : tenter de comprendre l'efficacité symbolique, ou – comme on dirait vulgairement – « le rôle des idées dans l'histoire ». Comment rendre compte de la « prise de corps » d'une idée, de l'effet d'une parole, de l'impact d'une image ? Dans le domaine religieux, cela revient à se poser la question des médiations à travers lesquelles se constitue un héritage ou une tradition. L'efficacité symbolique renvoie à l'idée de médiation, à savoir qu'aucune efficacité n'est instantanée, immédiate : l'efficacité suppose toujours un parcours, un cheminement du sens, une transformation du sens. Elle suppose donc toujours des outils, des médiums, qu'il ne faut pas confondre avec les *mass media*... D'un point de vue médiologique, nous étudions ainsi les substrats matériels et organisationnels d'une diffusion, d'une propagation et donc d'une constitution d'héritage, d'un canon ou d'un legs symbolique.

C. G. — La médiologie serait donc intrinsèquement « au service » de traditions ?

R. D. — La médiologie essaie de comprendre ou plutôt de constituer en énigme l'évidence d'une tradition : à quelles conditions une tradition peut se constituer, pour répondre à quels besoins, et avec quelles conséquences sur la vie présente.

C. G. — Ma question serait plutôt en fait : « En quoi ces médiums, ces outils transforment les contenus eux-mêmes ? »

R. D. — C'est l'essence même du propos…

Aperçu médiologique sur la « naissance » du Dieu unique…

R. D. — Pour donner un simple éclairage, et par un raccourci un peu provocant, la naissance et le développement de l'idée d'un Dieu unique, personnel et transcendant supposent certaines conditions de possibilité. Première découverte : pour qu'« apparaisse » un tel Dieu, il faut un système d'écriture alphabétique ou, à tout le moins, un autre système de transmission qu'une tradition orale. En effet, il n'y a pas de Dieu unique en tradition orale, et pour qu'il émerge, il faut autre chose que des systèmes rudimentaires d'écriture – pictogrammes ou idéogrammes. Il faut une décomposition alphabétique des apparences sensibles, un alphabet phonétique qui permet de produire des entités abstraites.

Pourquoi l'écriture est-elle ici un médium capital ? Non seulement parce qu'elle peut engendrer des abstractions mais parce qu'elle rend une mémoire « portative », c'est-à-dire qu'elle libère en quelque sorte le divin de la localité. L'écriture suppose en effet un support, en l'occurrence le papyrus, qui a rendu Dieu « portatif », alors que dans le polythéisme, les dieux sont essentiellement des dieux « locaux », c'est-à-dire liés à des « lieux sacrés » : à une terre, à une cité particulière, à des « idoles » matérielles. Donc, si l'on s'en tient à l'analyse du milieu technique, on peut établir à titre pédagogique l'équation suivante : « Un système d'écriture + une mobilité, la consonne + la roue = Yahvé. » Avant le caractère alphabétique et la roue…

C. G. — N'y avait-il pas de Dieu auparavant ?

R. D. — Il n'y avait pas de Dieu transcendant, du moins dans l'esprit des hommes. Et c'est le miracle hébraïque que d'avoir coordonné ces deux innovations techniques capitales.

Voilà posé le premier aspect de notre révolution symbolique, celui qui concerne la « matière organisée » offerte par un système d'écriture et un support : un texte amovible que l'on peut emmener avec soi, auquel tout un groupe peut se référer, éventuellement sans une médiation cléricale, « ésotérique » comme c'est le cas avec l'hiéroglyphe égyptien. Cette mémoire ethnique peut en quelque sorte se promener sans que ce déracinement ne constitue pour autant une perte d'ancrage symbolique et une aliénation rédhibitoire.

Deuxième aspect indispensable à cette révolution symbolique : l'existence d'une institution à même de relayer dans le temps la découverte s'il en est du Dieu unique, personnel et transcendant. Cette institution est un corps ecclésial, autrement dit une « organisation matérialisée », en l'occurrence une Église ou une caste sacerdotale dans le cas des Hébreux. Nous voici donc ici devant l'alliance d'un outil technique – une écriture portative et amovible – et d'une institution hiérarchisée, close, disciplinée, régulière… Et c'est bien l'alliage de ces deux versants du médium qui produit l'héritage judéo-chrétien. À l'évidence, cela n'épuise pas du tout l'ensemble du phénomène, mais ce sont plutôt là des considérations d'« écologie culturelle ». Une écologie culturelle dépourvue de déterminisme mécanique du type : « Il ne pleut pas au

Sahara parce qu'il n'y a pas de végétation : il n'y a pas de végétation au Sahara parce qu'il ne pleut pas. » Ici, nous sommes en face d'une causalité circulaire qui ne répond pas du tout à un déterminisme technique.

Je ne dis pas que l'écriture alphabétique engendre une théologie, je dis qu'il n'y a pas de théologie sans écriture, parce que dans théologie il y a *logos*. Et le *logos* c'est sans doute le Verbe, c'est-à-dire l'Esprit, mais c'est d'abord un système de signes, de traits articulés. Ce système permet l'expression d'une pensée qui est autre chose que le cri, la psalmodie, le piétinement de la danse ; il permet une pensée qui soit une construction conceptuelle. Vous voyez donc la modestie du propos médiologique, et en même temps le caractère quelque peu provocateur aux yeux de certains, qui trouvent son propos tout à fait extrinsèque à une réflexion appropriée au religieux. Ceux-là diront : « Bon, vous décrivez un contexte, un milieu favorable, un environnement... mais pas l'essentiel. » Par contre, pour ceux qui pensent – comme le médiologue – que c'est le « dehors » qui fait le « dedans », il y a, me semble-t-il, davantage que cela dans ce genre de considérations « matiéristes ».

Je dois enfin souligner que la médiologie n'est pas une discipline : elle ne s'enseigne pas, à la différence de la théologie. Il y a des facultés de théologie où l'on enseigne cette dernière depuis des siècles. La médiologie, quant à elle, n'est qu'une orientation de recherche, presque une tournure d'esprit. Une disposition d'enquête.

Le politique et le religieux indissociables ?

C. G. — Une remarque concernant directement votre itinéraire, qui me semble assez étrange : après avoir longuement étudié la singularité de cette religion tardive – la religion monothéiste –, vous écrivez quatre cents pages sur *Le feu sacré* (Fayard) dans lesquelles cette singularité monothéiste n'est pas tellement prise en compte face à l'énorme diversité des faits religieux.

R. D. — Il est vrai que *Le feu sacré* relève plutôt d'une démarche d'anthropologie religieuse, c'est-à-dire de la recherche des invariants de l'*homo religiosus*. L'hypothèse est qu'il existe une sorte de « grammaire du religieux »… à l'égard de laquelle l'étude du monothéisme constitue une « variation morphologique ». Une variation certes significative, historiquement déterminante et intellectuellement passionnante, mais à envisager dans le cadre de cette « syntaxe générale du religieux ». Celle-ci me paraît seule à même d'éclairer – à défaut d'en rendre compte – cette extraordinaire permanence d'un phénomène un temps supposé en voie de disparition, car voué à être effacé par les progrès du savoir et de la connaissance objective.

Par ailleurs, si nos deux types d'analyse ne se recoupent pas, ils ne se contredisent pas pour autant. Dans mon cas, l'anthropologie du religieux procède plutôt d'une analyse de ce que j'appelle la raison politique, c'est-à-dire la logique à l'œuvre dans les agrégats humains : quelles sont les opérations grâce auxquelles un agrégat humain peut se constituer et se stabiliser ; à quelles conditions un « tas » peut devenir un

« tout ». Et pour moi, c'est justement à ce « moment »-là de l'histoire des sociétés qu'intervient l'idée d'incomplétude.

C. G. — Mais cette structuration est-elle d'abord politique ou religieuse ?

R. D. — Honnêtement, je ne fais pas la différence, car je pense qu'il n'y a pas de structuration politique sans un élément de transcendance. L'opposition du politique et du religieux – comme nous le savons tous – est très tardive : c'est un phénomène ô combien intéressant… mais bien difficile à saisir pour un historien des mondes grec, romain, hindou, musulman ou africain. Dans la mesure où aucun ensemble ne peut se « boucler » – *se circonscrire* à l'aide de ses seuls éléments propres –, il faudra toujours – pour qu'il y ait unité et donc démarcation entre le « dehors » et le « dedans » – un « point de fuite », comme vous l'avez dit. Un « trou » fondateur, en tout cas une référence invisible, non tangible, par rapport à laquelle se crée – par référence et par contraste – une communauté. Pour trouver sa consistance et son identité, le groupe humain est donc contraint de s'ouvrir par le « haut » et de se fermer par le « bas », comme une sorte de « cône » défini par son périmètre et son sommet. Et dans la cité, nous serons alors tous frères par quelque chose qui n'est pas de l'ordre de la simple fraternité « horizontale » : nous serons frères « en Christ », « en République », en « Romulus et Remus », que sais-je ? Car l'unité et la frontière ne sont jamais des données *naturelles* dans le monde humain.

Grande idée à réhabiliter aujourd'hui, la frontière me semble ici essentielle. Et je ne parle pas seulement de la frontière physique, géographique, mais de ce qui permet de délimiter ce « dedans » et ce « dehors »… Une dialectique qui constitue à mes yeux une contrainte, une fatalité et suscite chez moi à la fois beaucoup d'amertume et d'aménité, dans la mesure où elle provoque le pire et le meilleur dans l'histoire des hommes. C'est ainsi...

C. G. — Comment conciliez-vous alors ce « point de fuite », cette référence à une certaine transcendance, avec ce que dans notre tradition universitaire relativement récente – surtout en France – on appellerait une explication du religieux par le social ? En un mot, êtes-vous durkheimien ou pas ?

R. D. — Je ne crois pas. Car Durkheim ne me semble pas rendre compte logiquement de la production religieuse, mais proposer simplement une sorte de tautologie du social, clos sur lui-même, se fondant lui-même. Personnellement, je ne considère pas qu'il y ait, si j'ose dire, d'« ouvre-boîte » universel en la matière. Autrement dit, j'essaie d'aller quand même un peu au-delà de Durkheim, sans nier d'ailleurs son apport...

C. G. — Il cherche pourtant comme vous une explication du religieux à partir de l'utilité sociale, du fonctionnement de la société, non ?

R. D. — Oui, mais pour lui, le religieux est une projection de la société, une sorte d'hypostase du monde social. Surtout, je pense que Durkheim n'a pas trouvé la formule opérationnelle de cette émanation sociétale, ni sa clé logique, qui me semble être justement cet axiome anthropologique de l'incomplétude, lié à notre capacité spécifique de symbolisation du monde. Le constat de Durkheim me paraît en un mot assez sommaire. Positiviste...

C. G. — Mais sa tentative d'explication sociologique du religieux n'est quand même pas si éloignée que cela de la vôtre, non ?

R. D. — Car, à mes yeux, dès qu'il y a société, il y a un niveau *meta* et sans *meta*, pas d'*inter* ; dès qu'il y a groupe humain, il y a quelque chose de plus que ce groupe. J'ai l'impression que, pour Durkheim, le groupe en lui-même est premier et qu'il se projette ensuite sur une « transcendance » alors que selon mon modèle, une telle « projection » est obligatoirement première pour qu'un groupe émerge par la suite. À la limite, il y a simultanéité et les deux mouvements sont indissociables, comme par exemple entre une « apothéose » et l'association des amis du défunt, première forme d'un groupe organisé. Non, vraiment, je ne me sens pas durkheimien.

Le « religieux », un invariant anthropologique ?

C. G. — Puisque vous passez de la médiologie à l'anthropologie religieuse, je serais tenté de vous demander pourquoi vous postulez malgré tout – avec la notion même d'incomplétude – une sorte d'invariant religieux anthropologique. À savoir l'existence d'une « constante » expliquant pourquoi l'homme est toujours un « animal religieux », quelles que soient les péripéties de l'histoire et la diversité des cultures. Une donnée structurelle expliquant pourquoi il y aura toujours dans les sociétés humaines au moins des productions culturelles relevant du type religieux, avec leur aspect bénéfique et maléfique…

R. D. — Des productions culturelles que nous appelons par convention « religieuses », et que l'on devrait plutôt appeler « symboliques », pour éviter amalgames et confusions. Selon moi, il y a « symbolique » dès lors que du visible est mis en relation avec de l'invisible, ce qui constitue apparemment un seuil clé d'hominisation, dont témoigne la paléontologie à travers l'étude des sépultures. Indépendamment des grottes ornées, dès qu'on trouve une sépulture avec des crânes marqués par un peu d'ocre sur les orbites oculaires, on est sûr que la réalité matérielle, physique d'un cadavre est mise en rapport avec « quelque chose d'autre ». Et en ce sens, l'homme est bien le seul « animal symbolique ».

Pourquoi désigner cet invariant anthropologique comme du « symbolique » ? Parce qu'un tel invariant est utile, en permettant à la fois d'expliquer – c'est-à-dire de prévoir – de façon simple une variété de phénomènes empiriques compliqués ; or, comme le dit Jean-Pierre Vernant, je ne connais pas de société sans religion, pas de groupe organisé sans l'intervention d'un élément symbolique. Cela peut être le « Ciel » en Chine, une sorte de « transcendance immanente » étrange qui constitue l'une des spécificités de la culture chinoise ; cela peut être le Dieu chrétien en Occident, ou les mythes d'origine et les cultes des ancêtres dans les sociétés aborigènes... Quoi qu'il en soit, dans tous les groupes humains, il y a toujours « quelque chose » qui n'est pas là... et qui est là. Et ce « qui n'est pas là qui est là », pour le dire vite, me semble être justement l'invariant symbolique que nous cherchons.

C. G. — J'y vois plutôt une non-acceptation du réel « tout court », de la contingence et de l'éphémère qui caractérisent la condition humaine, ce qui a en effet en soi une certaine

« coloration » religieuse. Mais est-ce vraiment là le « noyau » après lequel nous courons ? L'art, par exemple, est une expression tout à fait congénitale au phénomène humain, et pour autant l'art ne me semble pas nécessairement « religieux ». La nécessité de redoubler la réalité par une représentation symbolique, l'obligation pour une communauté de se rassembler dans un symbole porteur d'une force de cohésion et d'un dynamisme agrégatif, pourquoi serait-ce spécifiquement « religieux » ?

R. D. — Tout d'abord, je ne pense pas que l'art soit un invariant anthropologique. L'art – c'est-à-dire « le beau fait exprès » – est une invention toute récente, datée en gros de la Renaissance occidentale. Ailleurs et avant, il existe des expressions figuratives fonctionnelles, mais une Vierge romane n'est à l'évidence pas une « œuvre d'art », c'est nous qui la considérons telle depuis le XIXe siècle, en la vidant de sa « fonctionnalité » première.

C. G. — C'est vrai, pourtant il existe bien des productions culturelles – non intrinsèquement religieuses – qui justement ne sont pas uniquement fonctionnelles, ni suscitées par l'intérêt, mais par la nécessité de dépasser la limitation du réel dans lequel s'inscrit l'homme.

R. D. — Certes, mais dès lors que vous devez raccorder l'immédiat visible à de l'invisible absent, vous avez besoin de médiations, de toutes sortes d'intermédiaires, de ponts, d'allers-retours… Je pense à la fois aux « professionnels » de ce passage – comme les clercs, les chamans, les prêtres – et aux expressions essayant de le domestiquer, en canalisant l'invisible pour en contrôler les effets, en dompter les forces.

Bref, la fonction médiatrice me semble aussi invariante que la fonction symbolique dont elle découle, tout en incluant, parmi d'autres expressions, ce que l'on appelle « l'art ».

C. G. — Dans le cadre de cette petite « topographie » de nos approches respectives du « religieux », je parviens à vous situer à peu près par rapport à Durkheim. Mais, du point de vue de cet invariant que vous revendiquez, du point de vue de l'*homo religiosus*, comment vous situez-vous par rapport à « l'essentialisme » d'un Mircea Eliade ?

R. D. — À propos d'Eliade, vous prononcez à juste titre le mot d'« essentialisme ». Pour lui, le sacré est une entité en soi : il est ontologique. Pour moi, le sacré est opérationnel. J'appelle « sacré » ce par quoi advient une unité, ce par quoi prend corps une communauté ; c'est d'ailleurs pourquoi je remplacerais volontiers le terme de « religion » par celui de « communion ». En effet, les deux versants – pour le coup, invariants – du terme « religion » sont à mes yeux d'une part « que fait-on ensemble ? » et d'autre part « en quoi est-on uni ? » ; raison pour laquelle je ne me sens pas d'affinité avec Mircea Eliade, qui me semble plutôt relever de la mystique.

Le sacré pour moi n'est pas une réalité en soi, mais plutôt une fonction ; non un substantif, mais toujours un adjectif. Voici un exemple : dernièrement s'est posée la question de savoir ce qu'il y avait de plus sacré – du drapeau ou de la Constitution – dans la vie publique américaine ; un étudiant avait brûlé un drapeau des États-Unis… Une atteinte au « sacré », en l'occurrence à ce qui fait que les États sont « unis ». Toutefois, la réponse donnée à cette question par le débat juridico-civique dans ce pays a été clairement la Constitution : le texte qui déclare les libertés fondatrices de la nation américaine. De toute façon, là où il n'y a pas – ou plus – de sacré, il y a désagrégation. Quand on a ainsi désacralisé la figure de Lénine en Union soviétique, quand on a déboulonné ses statues, c'était clairement la fin de l'empire. Voilà à quoi sert mon petit modèle d'incomplétude : il m'a permis de comprendre dès 1983 – à l'arrivée de Gorbatchev – que c'était la fin de l'URSS ; dès que ce nouveau Premier secrétaire a dit en substance que Lénine était un monsieur comme un autre, il cessait d'être « Le » héros fondateur du pays. Je n'avais que six années d'avance, mais en politique, cela compte. L'attention à de tels invariants est donc utile.

C. G. — Cette démarche vous permet d'étendre le « religieux » au « sacré », c'est-à-dire à des phénomènes qui ne sont plus directement « religieux », au sens strict... Nous atteignons là la question clé : celle du noyau de sens de la notion de « religieux ».

R. D. — C'est effectivement la grande question de la démarcation entre le « religieux » et ce qu'il n'est pas. Pourquoi, quand on étend la notion, l'objet disparaît-il, et quand on la réduit, manque-t-on beaucoup de phénomènes ? Où tout cela commence et finit ? Une question, une discussion permanente... C'est pourquoi je travaille sur la notion même de « religion » pour la critiquer... Il existe ainsi une idée connexe intéressante : celle de « culte » ; une idée un peu administrative, car – on le sait – le « Bureau des cultes » gère les « groupes religieux » pour le compte du ministère de l'Intérieur, qui ne connaît donc en fait que des « cultes », et non des « religions ». En France, les juristes ne parlent ainsi que de « cultes », tout comme la fameuse loi de séparation des

Églises et de l'État (1905) dont nous fêtons cette année le premier siècle d'existence.

Il faut deux éléments pour définir un « culte », nous explique ainsi le fonctionnaire de la place Beauvau : d'abord des pratiques collectives, c'est-à-dire des rencontres régulières, des activités de groupe, des cérémonies ; ensuite, une « entité » en l'honneur de laquelle se développent ces rassemblements, ces rituels. Soit un élément « horizontal » et un élément « vertical », même si le Bureau des cultes ne le thématise pas exactement comme cela, mais cela y revient et c'est important…

De ce point de vue, les jeux Olympiques peuvent-ils se décrire comme un « rassemblement religieux », un « culte » ? Apparemment non, puisqu'ils ne semblent pas comporter d'« entité » transcendante de référence. Toutefois, quand je vois l'effervescence collective d'un stade à Athènes durant l'été 2004, avec des dizaines de milliers de gens agitant un drapeau qui se rapporte à une « entité » immatérielle appelée « Grèce », je ne peux qu'établir un rapport entre ce phénomène humain et le « religieux » ainsi défini.

C. G. — Avec ceux pour qui « la Grèce » fait sens de génération en génération, une « lignée croyante » est en effet à l'œuvre, ce qui définit bien le « religieux » selon la sociologue des religions Danièle Hervieu-Léger. Et on peut ici lui faire le même reproche qu'à vous, une telle définition ne semblant pas très discriminante dans la mesure où elle englobe un très grand nombre de faits humains qui excèdent le domaine « religieux » au sens strict. Par exemple les manifestants du 1er Mai en France, qui se mobilisent ce jour-là non en fonction d'enjeux syndicaux concrets, mais pour « faire comme » leurs parents et grands-parents, pour faire « comme en 1968 ou en 1936 ». Mais avec une telle définition, comment différencier une idéologie – souvent liée à une « lignée croyante » – d'une « religion » proprement dite ? Les idéologies n'ont-elles pas aussi leurs « célébrations », leurs « rites », et leurs « Églises » ?

R. D. — Aussi les nomme-t-on « religions séculières » à bon droit. À la dernière Fête de l'Humanité, j'ai vu l'un des premiers numéros du journal *L'Humanité*, fondé par Jaurès. Que voit-on en première page ? Une masse d'ouvriers tendant les bras vers ce qui est décrit en légende comme l'« Humanité nouvelle ». On voit bien ce mouvement d'élévation vers cette figure féminine allégorique, fantomatique : une véritable… déesse ! *Mutatis mutandis*, c'est aussi le cas, avec les révolutionnaires de 1789 et « l'Être suprême ». Il n'est pas ainsi nécessaire d'avoir un « Dieu », ni peut-être même une référence surnaturelle pour avoir une « religion ». Il suffit d'avoir, à mon sens, un « invisible », qu'il soit passé ou futur, imaginaire ou conceptuel, surnaturel ou terrestre.

C. G. — Nous voilà revenus à la définition durkheimienne du religieux comme adhésion à des puissances supranaturelles, avec la notion de communauté, d'« Église » et le caractère organisé, public, qui le différencie du « magique », relevant quant à lui de la sphère privée.

R. D. — Oui, peut-être, si vous voulez. La magie procédant de mécanismes obligatoires – calqués sur la nécessité des lois naturelles – quand le religieux relève d'engagements « aléatoires » et « optatifs », fondés sur une relation entre des êtres doués de subjectivité. À la différence de la religion, la magie est en effet toujours utilitaire, c'est une « technique »…

Mais alors, Claude Geffré, puis-je vous retourner la question : comment définissez-vous vous-même le « religieux » ? Comment repérez-vous les frontières qui marquent l'existence d'une « religion » ?

C. G. — Je définis la « religion » comme le rapport des hommes à une certaine « altérité » ; c'est pourquoi je pense que les « religions athées » comme le bouddhisme relèvent à bon droit du genre « religion » plus que du genre « sagesse ». En effet, il y a toujours chez elles une certaine « extériorité » entre le domaine du « réel apparent » – en l'occurrence celui de l'illusion du monde sensible et du « moi » – et le domaine du « vrai réel », celui de la « Réalité ultime ». Selon moi, il y a déjà là un rapport d'altérité qui permet de reconnaître du « religieux ».

Je ne réserve donc pas le mot de « religion » à la sphère de la relation avec une transcendance personnelle, comme le laisse penser l'une des étymologies possibles de ce mot : le *religare* latin qui signifie « relier », « mettre en relation » ; mais je le réserve toujours à la relation avec une transcendance ayant une fonction d'altérité. Une fonction de remise en question et d'interrogation de l'homme par rapport à lui-même. Soit une fonction qui conduit à un décentrement de l'homme vers autre chose que lui-même, vers un « ailleurs » ; et donc vers un dépassement de ce que vous appelez l'« incomplétude » et qu'on peut appeler la finitude.

R. D. — Oui, parce que la finitude humaine appelle – constitutivement – un « élément » d'infini…

C. G. — Ce qui me dérange, c'est d'envisager cela comme une dimension « religieuse » anthropologiquement consécutive à l'existence de l'homme en soi. Car cette relation à une altérité est toujours en fait conditionnée par des médiums culturels. Je dirais qu'à la limite l'homme devient « religieux » mais qu'il ne l'est pas ontologiquement.

R. D. — Vous avez raison de le dire, mais il nous faut alors définir à partir de quand « commence » l'homme, comme le font les paléontologues. Et quand je dis « homme » ici, j'entends *homo sapiens.*

C. G. — L'homme « commence » par le face-à-face avec la mort, à la différence de l'animal. C'est pourquoi l'une des définitions du « religieux » est la non-acceptation de la contingence absolue qui caractérise l'homme vivant et éphémère. Ce serait là le « seuil » qui marque le passage du domaine animal à l'humain. Autre façon de désigner ce seuil : « la terreur de l'histoire », selon l'expression d'Eliade, face à laquelle on cherche une explication. Ou bien encore la question de l'origine, ou celle de la fin. Autant de questions qui semblent caractériser l'entrée dans le « religieux »… avec toujours le risque de faire du « religieux » une sorte de « transcendantal » qui serait à la fois transhistorique et transculturel, à la manière de Rudolph Otto ou de Mircea Eliade justement. Et c'est du reste peut-être ce qui me gêne dans votre ouvrage *Le feu sacré* : vous y maniez trop le transhistorique et le transculturel à travers l'espace et le temps…

R. D. — C'est là une bonne objection. Le médiologue est toujours d'abord un historien, parce que là où il y a technique, il y a toujours histoire. En effet, une technique « bouge » par définition : elle n'est jamais définitive et se perfectionne toujours… Et la croix du médiologue, c'est bien le lien, la connexion à établir entre les invariants et les variations de ce qu'il observe. Ce problème le torture comme tous les anthropologues. Je dois l'avouer ; il y a pour moi des invariants humains, mais ils ne sont saisissables qu'à travers des variations historico-techniques. Je ne sais s'il y a une « nature humaine », mais il me semble bien qu'il y a des « dispositions fondamentales », des « opérations fondamentales » par lesquelles tout groupe humain doit passer s'il veut se constituer justement en tant que groupe *pérenne*. Et comme il n'y a pas d'humanité sans groupe pérenne…

La transmission, au fond c'est la culture. L'homme est le seul animal qui ait une histoire parce qu'il est le seul animal à transmettre, les autres ne faisant que communiquer, les malheureux. Et, là où il y a continuité cumulative – c'est-à-dire stockage et transmission d'informations puis apprentissage du maniement de ce stock –, il y a anthropogenèse, histoire, inscription d'une mémoire, bref, temporalité et culture. Toutes ces notions sont liées. À ceci près que moi – et c'est peut-être une différence entre nous –, j'accorde une grande importance à l'outillage, aux médiations en général et aux techniques en particulier. C'est une tradition héritée de Leroi-Gourhan, penseur moins célèbre que Lévi-Strauss car peut-être plus « matiériste » et moins « symbolique » que ce dernier. Au passage, Leroi-Gourhan était chrétien, m'a-t-on dit, ce qui ne se voit pas vraiment dans son œuvre.

C. G. — Georges Dumézil l'était aussi et cela ne se voyait pas beaucoup plus chez lui, qui s'est bien gardé d'étudier les civilisations sémitiques en leur appliquant les « trois fonctions » auxquelles il doit sa célébrité. Il les aurait d'ailleurs trouvées sans peine dans la Bible, comme le laisse penser *Le Dieu distribué*, très beau livre de mon ami Jean Lambert...

Vers une réconciliation du « faire sens » et du « faire lien » ?

C. G. — Revenons à la définition du « religieux » du début de notre conversation : pourquoi tenez-vous tellement à la priorité du « faire lien » sur le « faire sens » ? N'y a-t-il pas là un peu un jeu verbal, puisque les deux sont absolument indissociables et liés par une réciprocité nécessaire, vu qu'il est impossible de « faire lien » sans « faire sens » et réciproquement.

R. D. — Je reconnais volontiers avec vous cette réciprocité...

C. G. — Et pourtant votre livre *Le feu sacré* fait le procès du « logocentrisme » comme de l'herméneutique, et produit en conséquence une apologie de la liturgie (au plus grand sens du mot). Alors que la liturgie – sans n'être que de « l'intendance » – me semble seconde par rapport à ce qui y convoque : le sens qui la fonde et la détermine.

R. D. — Oui, mon livre est sans doute une apologie de la liturgie et de l'institution. Mais qu'est-ce donc que le « sens », sinon quelque chose sur lequel on est d'accord à plusieurs ? Dans le « sens », il y a donc d'abord le lien social. Et la fonction essentielle du « religieux », je n'en démords pas, c'est d'abord ce lien intrinsèque ; et ce, même si Lactance s'est trompé en faisant découler ce mot latin *religio* – racine de notre « religion » – du latin *religare*, « relier ». Mais je ne veux pas entrer ici dans des discussions étymologiques infinies, encore que rappeler l'autre étymologie classique (*relegere*, « relire, recueillir ») renvoie à votre réciprocité entre « faire lien » et « faire sens ». À l'évidence, le *religare* et le *relegere* s'impliquent en effet l'un l'autre…

C. G. — … et Augustin les retient tous deux ensemble comme origine du mot « religion », quand Cicéron donne la priorité au *relegere*, « relire, recueillir », sans exclure l'autre possibilité.

R. D. — Non, je vais vous dire : il y a d'abord un constat de bon sens selon lequel le sens est commun ou n'est pas puisqu'il n'y a pas d'« idiolecte », de « langue indivi-duelle » ; parce que qui dit « langue » dit « groupe ». Mais au-delà même de ce constat, derrière ma priorité donnée en la matière au *religare*, « relier », s'exprime le vitalisme qui caractérise le fond de ma vision des choses.

La vie, c'est l'agrégation, c'est-à-dire le contraire de la dispersion, du désordre, de l'entropie. La vie, c'est la réunion, le rassemblement, la connexion. Et il me semble que dans la liturgie, il y a justement une formidable pulsion vitale d'agré-gation qui explique le bonheur, la joie caractéristiques, liés à ce moment exceptionnel de l'être-ensemble ; quelque chose qui fait penser à la notion de « fête » chez Georges Bataille, mais sans ses arrière-plans tragiques… Et c'est cette commu-nion qui me semble à la fois primordiale et finale. C'est ce qui explique ma tendance à poser le liturgique avant l'herméneu-tique : le baiser de paix, le serrement de mains ou l'accolade avant le tête-à-tête solitaire face à un texte. De toute façon, lorsqu'il s'agit d'un texte sacré, il y a toujours une lecture liturgique : une lecture ensemble. Une lecture qui fait lien.

C. G. — En effet, on pourrait dire que le doxologique synthétise le liturgique et l'herméneutique...

R. D. — Expliquez-moi cela plus précisément, cela m'intéresse...

C. G. — En théologie chrétienne, le mot « doxologique » désigne ce qui se manifeste d'adoration dans la confession de foi. Dans la profession de foi, c'est la part d'adoration gratuite, la part d'accueil à l'égard d'une extériorité qui survient, quels que soient ses effets, soit agrégatifs soit thérapeutiques au niveau personnel. Non immédiatement fonctionnel d'un point de vue social ou individuel, le doxologique se joue ainsi toujours sur le plan de la personnalité croyante : il a sa valeur en soi, qui dépasse son côté utilitaire d'agent d'agrégation par rapport à d'autres. Il est l'expression, quel que soit le référent invisible, de la passivité et de l'accueil par rapport à une gratuité qui vous vient de l'extérieur. À mon avis, une telle notion ne s'applique pas uniquement dans le domaine chrétien – par rapport à un Dieu personnel – mais dans beaucoup de systèmes religieux, comme le bouddhisme ou l'hindouisme par exemple.

R. D. — Une question cependant : pourquoi ce mot est-il formé sur celui de *doxa* et non pas de *dogma* ? Autant que je sache, la *doxa* n'a pas un statut religieux particulier pour les Grecs...

C. G. — En effet, *doxa* signifie en général « l'opinion », notamment dans un contexte philosophique, mais ce terme a aussi un autre sens : la « gloire ». Le mot « doxologie » répond à cette seconde acception, pour signifier la « glorification » : en l'occurrence, la glorification personnelle et communautaire des articles de la foi dans le cadre liturgique.

R. D. — Vu comme cela, je vous suis. Et je dirais que ce qui se joue ici, c'est la gratitude du vivant pour ce qui le fait vivre. C'est la gratitude du groupe pour ce qui le fait exister, l'acte spontané de reconnaissance d'un individu relié à ce qui le relie aux autres et à lui-même.

C. G. — Et d'ailleurs, le sacrifice – aux divers sens du terme – se situe là, dans ce « rendre grâce ». Je parle bien sûr ici du sacrifice d'offrande (holocauste) et non du sacrifice expiatoire, relié à une « faute » préalable. Le sacrifice est toujours lié à un certain excès, dans la manière de se séparer de quelque chose d'éminemment fonctionnel et utile, ne serait-ce que l'animal tué et non mangé parce que brûlé pour les dieux.

R. D. — Oui, nous sommes d'accord. Cependant, vous faites intervenir dans votre explication des termes comme « ce qui survient », « ce qui advient ». Expressions qui marquent – pour l'incroyant que je suis – l'irruption d'une sorte de surnaturel, d'inexplicable. Je n'ai rien contre l'inexplicable, mais je trouve déjà à l'œuvre dans votre propos une attitude de croyance qui excède une démarche simplement scientifique. Ceci dit, la voie que vous expliquez – celle qui accueille gratuitement quelqu'un ou quelque chose d'inattendu – peut à mes yeux faire office de description – voire de

« phénoménologie » – de la communion. Mais je ne peux malgré tout m'empêcher d'y voir une logique fonctionnelle à l'œuvre, sachant que le fonctionnel n'est pas seulement synonyme d'utilitariste.

C. G. — Repartons donc de votre propre vision des choses, autour de « l'incomplétude ». La conscience d'une incomplétude me semble toujours le fait d'un homme qui se définit comme question et qui attend une réponse à ses interrogations. Et s'il n'obtient pas de réponse de l'ordre du sens, cet homme cherche au moins une réponse dans l'ordre de ce que vous appelez un certain « agir » : il va sacrifier aux dieux, se ménager leur bénédiction ou éviter telle action susceptible de lui attirer leur sanction…

Dans cette logique de l'incomplétude humaine, je cherche quant à moi ce qui pourrait être reconnu comme « fondamental », c'est-à-dire ce qui excède une simple réponse de l'ordre du sens ou de l'ordre de l'agir. Et c'est cet aspect « fondamental » que j'envisage alors comme une passivité devant « ce qui survient » dans l'espace de la conscience et de l'existence humaines. Peut-être parce que je suis théologien, je situe ce « fondamental » comme une attente par rapport à un appel, une donation gratuite. À mes yeux, ce serait peut-être là que se situe le cœur du « religieux » : dans le fait que l'homme ne puisse se contenter de son immanence propre et finie ou du monde comme totalité, mais qu'il ne se conçoive qu'en référence à une « extériorité ». « Extériorité » qui n'est pas d'abord – je le répète – de l'ordre du sens, du faire, de l'utile ou du bénéfique, mais qui relève simplement d'un appel, d'une vocation à quelque chose qui excède le plan du seul « fonctionnement » humain. Alors que vous, me semble-t-il, vous situez ce cœur du « religieux » au niveau du groupe : le collectif humain qui assure d'abord sa survie dans le temps, survie qui passe nécessairement par l'appel à un « plus »… À une « transcendance » qui m'apparaît en l'occurrence très proche de ce qu'on appelle « l'idéal » ou « l'utopie ».

C'est pourquoi j'ai souvent pensé en vous lisant à Ernst Bloch et à un questionnement du type : « Qu'est-ce qui fait donc "marcher" l'humanité : l'*homo absconditus* qui, devant elle, n'est pas encore lui-même et demeure en attente de lui-même, de sa propre révélation ? » ; soit une transposition dans l'immanence de ce qu'a été la transcendance d'un Dieu extérieur à l'homme. Raison pour laquelle je dois quand même vous dire que je sens à l'œuvre dans toute votre recherche un « messianisme » caché.

R. D. — Un messianisme désespéré, vous voulez dire ! Quoi qu'il en soit…

C. G. — Oui, il y a dans votre œuvre quelque chose qui me fait songer à ces penseurs juifs allemands de l'entre-deux-guerres : Walter Benjamin, Leo Strauss, Ernst Bloch… (Voir le grand livre de Pierre Bouretz, *Témoins du futur*, Gallimard, 2003.) Certains sont agnostiques comme vous, mais ils sont tous profondément « messianiques », et je pense que vous êtes un peu dans leur lignée.

Le « spirituel » et le « religieux » : séparer, distinguer ou articuler ?

R. D. — Je vous rends en tout cas grâce de parvenir à si bien articuler deux domaines que, pour différentes raisons, je tiens personnellement à distinguer : le « spirituel » et le « religieux ». Le « spirituel » étant – de mon point de vue – le dialogue intérieur des âmes avec Dieu ou une transcendance, et le « religieux » l'organisation collective de l'espace et du temps en fonction de cette transcendance.

C. G. — Mais le vrai « religieux » ne peut pas faire l'économie du « spirituel » !

R. D. — Je comprends parfaitement cette position et votre vision l'articule à merveille. Reste qu'il me paraît utile de distinguer ces deux volets. Je dis « distinguer » et non « dissocier ». Une distinction importante, car elle permet d'éviter beaucoup de confusions. Peut-être est-ce d'ailleurs parce que je n'ai pas accès au volet spirituel que je me concentre sur le volet religieux… La vie spirituelle me paraît relever en effet du champ individuel et personnel : celui de l'ermite qui peut s'y consacrer même sans rattachement à une quelconque communauté, alors qu'à mes yeux, il n'y a pas de « religieux » sans communauté.

C. G. — J'entends bien, mais je ne crois pas qu'on puisse réduire cette distinction entre le « spirituel » et le « religieux » à celle de l'intériorité et de l'extériorité. Et puis le « spirituel » est-il pensable en dehors d'une référence, d'une relation à une tradition, à une communauté, à des œuvres ?

R. D. — Oui, c'est peut-être vrai.

C. G. — Il y a aussi un « spirituel » athée très profond : je pense à Spinoza, qui représente vraiment pour moi le spirituel par excellence.

R. D. — Effectivement.

C. G. — Reste qu'à défaut de pouvoir être exhaustive, votre description du « feu sacré » honore beaucoup le sacré et le « feu » religieux, mais uniquement comme « feu maléfique » guerrier et violent, en négligeant le « feu » de l'intériorité portée à son paroxysme.

R. D. — J'admets bien volontiers que le « feu sacré » est autant ce qui réchauffe que ce qui brûle, ce qui dévaste que ce qui éclaire. C'est justement à cause de cette ambivalence du feu que je l'ai choisi comme métaphore pour décrire l'ambivalence intrinsèque du « religieux ». Quant au « spirituel », j'en suis parfois le spectateur ébloui, par exemple quand je regarde le film d'Alain Cavalier sur Thérèse de Lisieux ; j'ai le sentiment de la spiritualité parfois en lisant certaines pages, mais je ne peux dire en avoir l'expérience. Ce qui me porte ici à rejoindre le mot fameux : « Ce dont on ne peut parler, il faut le taire. » Oui, ce que l'on n'a pas vécu, il faut le taire. En tout cas, vous connectez bien dans un discours rationnel ces deux relais du « spirituel » et du « religieux ».

C. G. — C'est pourquoi j'aimerais savoir si cette connexion interroge votre modèle d'incomplétude, et si oui, en quoi ? J'aimerais par exemple que vous confrontiez si possible ce dernier à ce que j'appelais à l'instant le « fondamental » : envisager un *fundamentum* en la matière vous serait-il utile ?

R. D. — Peut-être, mais si vous me précisez d'abord ce que vous entendez exactement par là... Ce *fundamentum* a-t-il pour vous une réalité objective ? Ou pourrait-on dire que c'est une donnée immédiate de la conscience ?

C. G. — Pas exactement. Ce que je veux désigner par là, c'est ce qui dépasse dans l'homme la requête de sens, la requête esthétique, affective, utilitaire, etc. Ce *fundamentum* serait premier et fondamental dans l'humain en tant que capacité originaire de s'ouvrir à l'égard d'une « donation » qui ne dépend ni de l'immanence de l'homme, ni de l'immanence du monde ou de l'histoire.

R. D. — Là, j'avoue ne pas vous suivre, sauf si vous parlez ici de la capacité symbolique propre aux humains... Vous la définissez d'ailleurs avec une notion dont l'aspect « substantivé » me gêne un peu...

C. G. — Pour tout dire, je définis ce *fundamentum* comme une ouverture inconditionnelle face au réel.

R. D. — On semble alors entrer dans une perspective proche de la phénoménologie, où ce *fundamentum* désignerait le fait d'être jeté dans l'expérience. Pourquoi pas ? ... Mais pour moi, il n'y a là rien d'autre que l'exercice de la capacité symbolique proprement humaine. Une capacité symbolique qui revient à subordonner *le vu* à de *l'invisible*. On peut le sublimer, le spiritualiser, le thématiser, le « pathétiser » comme on voudra – dans un langage « mystique » par exemple –, mais cela reste à mes yeux la trame d'une opération proprement anthropologique.

C. G. — Pour parler comme Kierkegaard, ce serait là le « religieux » au-delà même de l'éthique et de l'esthétique. Mais peut-être cela vous dérange-t-il de l'exprimer ainsi ?

R. D. — Oui, parce que cela me semble s'apparenter à un acte de foi.

C. G. — Ce n'est pas le cas si l'on ne cherche ici qu'à décrire le « fonctionnement » fondamental de la réalité humaine.

R. D. — Mais ce que vous décrivez là, c'est une disposition...

C. G. — J'essaie de trouver une pierre d'attente.

R. D. — D'accord, et pour le coup vous décrivez un invariant anthropologique.

C. G. — Oui, on pourrait dire cela, mais c'est pour compléter – si j'ose dire – votre modèle d'incomplétude.

R. D. — C'est alors votre mise en œuvre personnelle du concept d'incomplétude.

C. G. — Mais je trouve précisément cette description du « religieux » par l'incomplétude trop fonctionnelle, en cela qu'elle se limite à ce qui fait lien, et donc à ce qui répond à l'angoisse de la finitude, de l'absurde et de l'atomisation individuelle pour permettre de survivre. À la lecture du *Feu sacré*, j'ai d'ailleurs remarqué que le génératif est votre catégorie d'analyse par excellence : l'attention à ce qui génère et régénère. C'est très beau. La foi n'est pas autre chose que la naissance, l'émergence d'un nouvel homme. Un nouvel homme qui est « plus » que ce que je suis ordinairement, dans mes fonctionnements immanents. Cette « génération », vous la considérez d'abord au niveau du groupe humain, quand, moi, je la saisis avant tout sur le plan de l'individu. Pour la personne aussi, c'est une nouvelle naissance qui se joue là...

R. D. — Oui, croire, c'est croître. Pour l'individu aussi. La première négation de notre finitude, c'est la recherche instinctive d'un « plus » de vie, d'une survie, on dira un jour d'une « vie éternelle », d'un « salut ». Un affranchissement du temps, de la finitude et de la mort.

C. G. — Ce que Spinoza appellerait « la joie substantielle »...

R. D. — Oui. La négation de la mort brute me semble être un invariant de l'humain, et en l'occurrence la source du « religieux ». Tout comme un individu, un groupe peut la ressentir et tendra en conséquence à considérer comme « son » sacré tout ce qui l'aide à se maintenir en vie, à rester lui-même, à persévérer dans son être.

C. G. — Mais, vous qui reconnaissez cela, vous qui consacrez une part essentielle de votre réflexion au rôle du symbolique dans l'humain, pourquoi aimez-vous donc à vous dire « matérialiste » ? Agnostique, d'accord, mais « matérialiste » ?

R. D. — C'est un jeu...

C. G. — Si je vous comprends bien, vous l'êtes par l'importance que vous accordez à l'étude des outils, mais pas au sens marxiste du mot ?

R. D. — Je suis matérialiste parce que je tiens que la matière existe indépendamment de la conscience, voilà tout. C'est au fond la seule définition catégoriale du matérialisme : il y a des choses indépendantes du sujet humain. Ce n'est pas moi qui pose l'objet en face de moi. Il se pose lui-même, en quelque sorte.

C. G. — C'est une position réaliste.

R. D. — Oui, si vous voulez ; mais sans oublier que le réel humain n'est pas seulement matériel...

C. G. — Réaliste, oui, encore que... Encore que le réel soit toujours reçu et donc interprété.

R. D. — Certes, mais si je meurs demain, le réel sera toujours là : il ne sera plus pour moi, mais il sera en soi... sans moi. Par ailleurs, votre analyse du rôle du « génératif » dans ma pensée appelle tout de même une distinction. Si je crois en effet que le groupe ne peut se passer de transcendance, il me semble qu'un individu peut, lui, s'en passer. Autrement dit, s'il ne peut y avoir de groupe humain radicalement athée au-delà des faux-semblants, il y a bel et bien des individus athées. En ce sens, la solution existentielle du libertin est envisageable, ce que certains ne manquent pas du reste de mettre en œuvre dans certaines formes de cynisme ou d'hédonisme. Toutefois, un tel « libertinage » existentiel ne me semble pas opérationnel – c'est-à-dire pas tenable à long terme – dans le cas des communautés humaines. Oui, je connais des hommes areligieux – si je cherche bien, je peux en trouver... – mais je ne connais pas de groupe humain durablement ou constitutivement areligieux. Position qui implique certes d'étendre le champ de ce « religieux » au-delà de ce qu'on entend habituellement par ce mot, en direction du politique et du culturel notamment, vers tout ce qui relève des « croyances communes » caractéristiques de tel ou tel groupe.

C. G. — Mais pourquoi tenez-vous alors à ce mot de « transcendance », à la fois vague dans votre champ anthropologique et plus précis dans le champ spirituel d'où il provient ?

Les mots d'« utopie » ou d'« idéal », par exemple, ne conviendraient-ils pas mieux à votre pensée ?

R. D. — La « transcendance » désigne pour moi une position spatiale : ce qui est extérieur au plan d'immanence. Autrement dit, il s'agit plutôt à mes yeux d'une position relative, à tel ou tel moment, vis-à-vis de telle ou telle réalité, que de la reconnaissance d'une « essence », ou d'une qualité intrinsèquement supérieure. De ce point de vue, un ancêtre, une idée, etc., peuvent également fournir un point de transcendance au groupe humain considéré dans son « horizontalité », inconsistante par elle-même. Selon cette perspective, tout ce qui est situé « au-dessus » ou « en dehors » d'un plan humain de consistance donné peut faire l'affaire. Ma « transcendance » n'est donc pas forcément ou foncièrement ·« spirituelle », et mes travaux tendent à « déspiritualiser » ce terme.

C. G. — Il s'agit tout de même chez vous d'une « transcendance » plutôt envisagée à l'horizon, dans le futur. À vos yeux, il ne saurait ainsi s'agir d'une origine, non ?

R. D. — Tout dépend si le groupe humain considéré se centre sur l'avenir ou sur le passé… Dans les mondes gréco-romain et même chinois anciens, toutes les transcendances ont été antérieures, le « point de fuite » socialement partagé étant le temps « derrière soi » de l'âge d'or. Et puis, vers le XVIIIe siècle, il s'est opéré un renversement en Occident, qui a tourné tous les regards sur le temps en avant. Le mythe du progrès qui caractérise la modernité occidentale peut se résumer à ce basculement vers l'avenir de la transcendance collectivement légitime.

En dehors même de cet essentiel basculement de

civilisation, on remarque en outre souvent une « concomitance » – une symétrie, si ce n'est un recouvrement – entre le « point de fuite » dans le futur et l'origine à retrouver dans le passé. Quoi qu'il en soit, l'« utopie » désigne pour moi la dynamique futuro-centrée alors que le mythe embrasse quant à lui les deux vecteurs, passé et futur. Ce en quoi on peut décrire l'utopie comme la variante progressiste d'une structure mythologique.

L'« efficacité symbolique » : du geste au texte en passant par la trace...

C. G. — Pourrions-nous revenir sur votre affirmation de l'« efficacité symbolique » comme point d'application de votre démarche médiologique, notamment dans votre compréhension du « religieux » ? Il me semble en effet difficile d'honorer un tel programme de recherche en revendiquant un désintérêt comme le vôtre à l'égard de l'herméneutique, pour moi approche privilégiée quant à la prise en compte de l'« efficace » des textes. Dans le domaine « religieux » en particulier, peut-on selon vous déterminer une efficacité symbolique sans démarche interprétative, qu'elle s'applique à des textes au sens propre – ceux de la tradition considérée et de ses doctrines – ou aux « pseudo-textes » constitués par les pratiques, les rituels, les attitudes ?

Tout langage religieux – relevant bien sûr de l'oralité mais aussi de l'écriture – me semble en effet nécessairement symbolique, puisqu'on ne peut pas évoquer et viser les réalités religieuses (excédant toujours la sphère de l'empirique) sans recourir à des métaphores et à des symboles. Il y a donc une incontestable efficacité symbolique des textes et pas simplement des rites. Alors, comment conciliez-vous votre intérêt pour cette efficacité avec votre jugement très pessimiste à l'égard des traditions textuelles religieuses et de la démarche spécifique qui prétend les déchiffrer, à savoir l'herméneutique ?

R. D. — J'emploie l'expression « efficacité symbolique » au sens où Marx constatait que les idées deviennent force matérielle « en s'emparant des masses », sans d'ailleurs s'interroger sur ce curieux devenir. Mais il existe aussi une version « anthropologique » de la notion : celle de Lévi-Strauss qui s'interroge sur le fait que la parole du sorcier puisse aider la parturiente d'une société traditionnelle à accoucher. Comment se fait-il que des entités immatérielles, ou quasiment, comme des vibrations sonores ou la lecture de signes d'un alphabet, « enclenchent » et déterminent des conduites, des actions, des comportements humains ? Ces deux compréhensions de l'« efficacité symbolique » n'étant par ailleurs pas contradictoires...

Prenez, par exemple, le grand classique *Les origines intellectuelles de la Révolution française : 1715-1787* (Colin, 1938). Daniel Mornet y cherche ce qui fait qu'en 1700, les Français pensent comme Bossuet ; alors qu'ils pensent comme Voltaire quatre-vingts ans plus tard, ce qui les conduira à avoir l'idée de prendre la Bastille. Quel est donc le rôle de ce que l'on appelle les « idées » dans des bouleversements historiques aussi vastes et complexes ?

Je précise tout de suite que la médiologie s'inscrit en faux contre une approche simpliste de cette problématique : ce ne sont pas les idées en elles-mêmes qu'il faut considérer, mais les formes d'apparition, d'organisation, de formalisation et de circulation qui les caractérisent et en sont inséparables. De ce point de vue, l'efficacité symbolique, c'est en un mot le fait que des productions symboliques engendrent des effets politiques, sociaux, pratiques. Ce qui revient – pour prendre un exemple adapté à notre conversation – à se demander pourquoi et comment les paroles de Jésus ont déterminé la naissance d'une communauté chrétienne. Quel rapport s'instaure entre l'émission de certains sons – des signes oraux par la suite consignés sous forme de caractères alphabétiques –, la recognition de ces signaux, la production d'« évangiles » et la constitution plus ou moins simultanée d'une organisation humaine définissable comme « secte » puis « hérésie juive » et finalement comme grande religion universelle qui va changer la face du monde ? C'est cette chaîne de transformations et de médiations que je vise par l'expression d'« efficacité symbolique ».

C. G. — Si je comprends bien, il n'y a pour vous d'efficacité symbolique que des textes écrits, l'oralité ne pouvant faire abstraction d'une mise par écrit tôt ou tard pour entrer dans notre champ de recherche ?

R. D. — Pas tout à fait, car il y a bien des efficacités symboliques purement orales dans le contexte de sociétés orales, ne connaissant pas l'écriture. De plus, la parole de Jésus – pour nous inaccessible en tant que telle – se réfère elle-même à des écritures, celles de la Torah ; en l'occurrence, nous avons donc affaire à un entrelacement d'oralité et d'écriture.

Prenons, si vous voulez, un schéma abstrait idéal : vous avez un guérisseur, un « messie » qui a, à un moment donné, fait irruption dans l'histoire, produit certains symboles linguistiques, et trois siècles plus tard... l'Empire romain devient chrétien ! Cela me semble un exemple plutôt parlant d'efficacité symbolique... Ma question privilégiée est alors la suivante : que s'est-il passé pendant ces trois siècles ? Le travail du médiologue, c'est de comprendre la chaîne de transformations qui permet de passer de la parabole du bon Samaritain, énoncée par un inconnu dans une modeste colonie romaine, à la conversion de l'empereur Constantin au christianisme, puis à la fermeture de l'Académie platonicienne d'Athènes par Théodose, *un siècle après*. C'est cette chaîne qui m'intéresse, car c'est ce que j'entends par « efficacité symbolique » au sens matériel.

C. G. — Dans votre premier livre, *Dieu, un itinéraire*, vous me semblez mettre la médiologie, science de la transmission, au service d'une assez curieuse apologie de l'Église, notamment catholique... Ce qui ne vous empêche pas, dans le second ouvrage, *Le feu sacré*, de faire le procès de ce que vous appelez le « logocentrisme », voire « le dessèchement herméneutique des clercs » ! Mais le fait que la théologie élabore des dogmes revêtus de l'autorité ecclésiale – des dogmes qui génèrent justement la tradition – n'a-t-il pas été un outil fantastique pour la transmission ?

R. D. — Vous avez raison, je vous rends les armes ; simplement, je réagis ainsi contre le lieu commun actuel selon lequel les Évangiles sont formidables par opposition à une Église... déplorable.

C. G. — C'est là un effet de l'éternelle nostalgie des origines.

R. D. — Tout à fait. Une nostalgie conjointe au rejet de toute médiation institutionnelle. À l'opposé d'un tel aveuglement, le médiologue commence par rappeler à l'homme d'aujourd'hui que son accès à ces « merveilleux » Évangiles implique l'existence persévérante d'une Église à même de les recueillir, de les canoniser et de les transmettre. C'est le sens de ma survalorisation des médiations institutionnelles par rapport aux médiations textuelles, mais, à l'évidence, les deux sont inséparables. Je cherche seulement à rétablir l'équilibre devant les emballements de l'idéologie dominante...

Reste que les sémioticiens ne se sont longtemps intéressés qu'aux médiations textuelles, en ne voyant que les signes, les textes. Ce qui revient à isoler ceux-ci de leur production matérielle – leurs supports, leurs mises en forme, leurs indexations, etc. –, comme des décisions institutionnelles par lesquelles ils ont acquis un caractère d'autorité, de référence, de symbole et se sont diffusés.

Or, face à une approche aussi abstraite, formaliste, structuraliste du texte – « inflation sémiotique » si à la mode naguère –, les médiologues se doivent de « tordre le bâton dans l'autre sens pour le remettre droit ». Ce qu'ils font avec le renfort de tous les chercheurs – comme Chartier, Daniel Roche, l'Américain Robert Darnton – attentifs à la culture matérielle de l'imprimé et à celle de la communication, c'est-à-dire aux indéniables allers-retours entre l'écrit et l'oral, entre les « élites » et les « masses ». Ce qu'ils font aussi en soulignant des « matérialités » très importantes en l'occurrence : le papyrus, le parchemin, le papier, les reliures, les bibliothèques, la thésaurisation, la circulation, les réseaux, le colportage. Toutes les médiations techniques et institutionnelles en un mot, qui non seulement supportent la diffusion mais l'assistent de près et l'organisent.

Prenons un exemple. Devant la mutation socioculturelle du siècle des Lumières, Darnton ne parle pas seulement des « grands auteurs » chers à Daniel Mornet, mais aussi des almanachs, des rumeurs, des chansons, des nouvelles… Il rend ainsi compte d'un monde beaucoup plus riche, d'une réalité beaucoup plus étoffée qui s'élabore de bas en haut à partir de la densité diversifiée du tissu social, et non uniquement de haut en bas, selon le « modèle de la cafetière » où le café du message passe tel quel vers le réceptacle de l'opinion.

C. G. — D'autant plus que dans notre contexte français, faire le procès du « logocentrisme » ne joue pas en faveur de l'image, mais en faveur de ce que Jacques Derrida appellerait la « grammatologie », dans sa différence avec le *logos* au sens grec, à savoir la « parole ». Une démarche par laquelle on cherche à remettre en question la suprématie du *logos*, le cœur même d'une métaphysique de la présence pour revendiquer le prix de la trace écrite.

R. D. — Bien sûr, les médiologues s'inscrivent dans la même revendication, en suivant les pas de l'auteur de *La grammatologie*. Oui, la parole, le souffle, ne précèdent pas la trace.

C. G. — Mais la trace constitue le souffle.

R. D. — C'est bien là ce que j'appelle au fond notre « matérialisme ». Celui qui n'oublie pas que la poste précède la carte postale… En ce sens-là, j'aime bien la notion de « trace », très parlante.

La « vérité du religieux » et la question de l'origine, entre mythe et démythologisation

C. G. — Mais, pour vous, la tension, la différence entre le sens et la vérité ont-elles une portée intelligible ?

R. D. — Le rapport au « religieux » et à ses propositions est, me semble-t-il, passé par trois étapes dans l'histoire de nos sociétés : « 1, c'est vrai », « 2, c'est signifiant » et enfin « 3, c'est… intéressant » ! Au départ, on prend l'Écriture au sérieux : « C'est vrai : le soleil s'est arrêté ; c'est vrai : les murailles de Jéricho sont tombées devant Josué ; oui c'est vrai : Jésus est né d'une vierge… » Et à un moment donné, quand l'état des connaissances rend ce type d'assertions difficilement tenable, on dit : « Mais non, tout cela relève de l'ordre du symbolique, du signifiant : il faut étudier les structures mythologiques qui s'expriment à travers ces idées, ces récits. » C'est cette deuxième étape du rapport civilisationnel au « religieux » que je reconnais comme « l'étape du sens ». La troisième étape, c'est la nôtre aujourd'hui : « Le religieux, ah ! oui… c'est intéressant ! Cela relève du folklorique, de l'esthétique, du poétique… » C'est intéressant comme toutes les « productions culturelles », des plus nobles – les « classiques » et « légitimes » – aux plus « triviales », ni les unes ni les autres n'étant finalement prises très au sérieux. Ce que j'ai essayé de faire en défendant l'enseignement du fait religieux à l'école laïque, c'est justement de repasser de l'« intéressant » au « signifiant », en remontant un peu en arrière. Cela implique de rappeler à l'homme actuel, à commencer par les jeunes, que toutes ces données religieuses furent « vraies » à un moment donné pour un certain nombre de consciences humaines. Et que cette vérité s'est inscrite dans l'espace et dans le temps en produisant des *structures* historiques et culturelles toujours actives, comme des monuments, un calendrier, etc. Dépourvue de fondement astronomique, la semaine est ainsi le seul décompte du temps qui ne doive rien aux cycles de la lune et du soleil ; d'où peut-elle donc venir ? Eh bien d'un texte qui s'appelle la Bible ! Et comment donc comprendre ce qui marque notre vie si on ne le sait pas ?

Pour répondre maintenant à votre question, je dirais que le « sens » auquel s'attache l'herméneutique est pour moi la « petite monnaie » d'une vérité perdue. Ce qui ne veut pas dire que ce « sens » n'a pas de sens, mais que de s'y consacrer révèle la position de repli d'une conscience religieuse dans un monde contemporain qui l'ignore et la marginalise.

C. G. — Comme croyant et comme théologien, je dirais que la démythologisation par la science d'une « vérité historico-religieuse » jusque-là évidente rend service, non au « sens », comme vous diriez, mais à une « vérité religieuse » plus importante que sa part de « vérité historique » désormais évanouie.

R. D. — Pouvez-vous développer cela ?

C. G. — Une fois démythologisés certains mythes bibliques concernant la Création, l'histoire des Patriarches, l'Exode, que reste-t-il à la conscience croyante ? Il reste la signification religieuse « pure » de ces « vérités » de la mytho-histoire, ce qui implique – dans la mesure où j'intériorise cette déconstruction dans une attitude croyante – un gain de « vérité religieuse ». En ce sens, je peux ainsi démythologiser par mes connaissances historiques le sacrifice d'Abraham au vu de sa non-historicité, mais en garder quand même le plus important : sa portée proprement religieuse, qui n'est pas de l'ordre d'une vérité scientifique, mais d'une révélation de portée universelle sur la vérité du rapport religieux de l'homme à Dieu.

R. D. — ... tout en restant actualisante.

C. G. — Nous rejoignons ainsi la vision d'un Ricœur disant qu'il faut en passer par la démythologisation des mythes bibliques, due aux progrès scientifiques, pour découvrir une vérité impossible à dire d'un simple point de vue scientifique ou philosophique. Une vérité impossible à transmettre sans le détour du symbole et du mythe... Ce qui revient à une sorte de « purification » de la foi, ramenée à son noyau essentiel, par la dure ascèse des conclusions du savoir scientifique. Le croyable disponible a changé mais la foi n'est pas devenue un saut dans l'absurde.

R. D. — La vérité dont vous parlez, pourriez-vous en préciser un peu les contours ? Ce n'est pas la vérité au sens arithmétique de « trois plus deux font cinq », ni au sens scientifique de l'hypothèse expérimentalement vérifiable.

C. G. — Oui, c'est une vérité qui n'a de sens qu'en tant que partie d'une totalité dans une vision globale du monde. Une vérité qui n'a de sens que par rapport à une intentionnalité croyante, en attente du surcroît de vérité impliqué par la signification permanente du geste d'Abraham ; et cela même si cet épisode n'a probablement jamais eu lieu dans l'histoire. Une vérité qui n'a de sens que par rapport à l'existence d'un Dieu personnel auquel je me remets dans la foi.

R. D. — Mais, par là même, n'inversez-vous pas en quelque sorte le cours de la révélation ? En effet, votre point de vue n'est plus celui d'un face-à-face avec une vérité « révélée », d'une soumission à l'autorité d'une parole « venue d'en haut », mais celui d'une structure anthropologique de conscience qui fait parler un mythe. Autrement dit, la démythologisation n'est-elle pas une « déthéologisation » au sens propre, dans la mesure où ce n'est plus le *Theos* – Dieu – qui émet les vérités à croire en s'adressant à vous par la révélation, mais c'est vous qui Le faites en quelque sorte parler… ?

C. G. — Oui, mais en l'occurrence, cela n'est possible que si je m'inscris dans une tradition confessante, une tradition croyante. Ce n'est pas moi comme individu qui « fais parler » Dieu…

R. D. — Pas vous en tant que Claude Geffré bien sûr, mais vous en tant qu'*anthropos*, en tant qu'homme.

C. G. — C'est moi m'inscrivant dans la lignée de ceux qui ont reçu cette « Parole de Dieu », quels que soient la matérialité, l'occasion, le prétexte, l'habillage linguistique de cette « vérité religieuse ». Le récit de la Création est un récit mythique : je peux donc en garder, une fois que je l'ai démythologisé par la cosmologie, l'étude scientifique de la Terre et l'histoire de l'évolution, etc., la portée et la signification profonde. C'est elle qui me permet de le situer – et de me situer – dans une dépendance nouvelle par rapport à Celui que j'appelle Dieu, quoi qu'il en soit cette fois des questions et des descriptions relatives au commencement du monde d'un point de vue scientifique.

Je démythologise ainsi l'idée chronologique d'un

commencement au profit d'une origine fondamentale qui m'invite à une dépendance – humaine, existentielle et communautaire – tout à fait originale. Il y a là distinction de deux plans, de deux ordres de vérité, incommensurables et... non contradictoires.

R. D. — Je ne peux vraiment souscrire à l'idée d'« origine ». Elle me semble postuler un lieu de vérité essentielle, un site miraculeux où le fondamental serait en quelque sorte contracté comme un ressort. Un « noyau séminal », un donné ésotérique primordial à l'égard duquel l'histoire du monde ne serait qu'un inexorable accomplissement, le lent déploiement exotérique. Toute origine me semble cacher une fin et la projection au tout début d'une cause finale. Personnellement, j'admets bien que nous ayons un besoin d'origine pour des raisons de sécurité psychique individuelle et collective. Ce qui n'empêche pas que toute origine me paraît mythique, le travail de l'historien consistant en l'occurrence à démythologiser la mémoire collective, avec ses emblèmes et ses césures, pour retrouver les commencements, les cheminements inchoatifs, empiriques, pluriels, incertains de l'histoire réelle. Toute la « matière première » qui sera justement transformée par la suite en « origine » à travers un récit organisateur postérieur. L'« origine », pour un médiologue, est ce qui *ad*vient à la fin et non pas au début.

C. G. — Mais si, en reprenant ma distinction de deux plans de vérité, l'« origine » ne relevait pas de l'ordre causal de la physique mais de celui – métaphysique – du Principe ?

R. D. — Dans toute « origine », il y a l'annonce et la promesse : l'idée que le message est déjà là, que nous avons à l'accueillir, à l'écouter et à nous y conformer... À l'opposé, le matérialiste que je suis dit : « Non, l'homme se cherche à tâtons, s'invente à l'intérieur d'un certain nombre de contraintes, mais rien n'est joué » ; d'où l'importance de l'outillage, car le sujet s'invente en fonction de ses objets, l'homme n'invente pas seulement la technique, la technique invente elle aussi l'homme et c'est cet aller-retour entre les outils et le sujet, qui crée l'hominisation. Cette interaction évolutive « fait l'homme ».

C. G. — Ne confondons pas, s'il vous plaît, l'« origine » avec la « cause » ou le « commencement », mais essayons de la chercher du côté du « principe », du « fondement ». Cela permet de mettre au jour une certaine complicité entre l'« origine » ainsi envisagée et ce que nous disions tout à l'heure sur son opposé, à savoir l'incomplétude.

R. D. — Je conçois ce que vous dites mais cela me fait penser à ce que Nietzsche appelait « la surpousse métaphysique » ! Je crains beaucoup la notion d'« origine » parce qu'elle préempte le devenir... Parce que, là où il y a « origine », il y a toujours des « propriétaires de l'origine » : des gens qui décident de la fin et du sens à donner aux choses, avec tout le pouvoir sociopolitique que cela implique. En cela, il y a bien une fonction cléricale de l'« origine », toujours supposée secrète, réservée à certains, ce qui suppose des initiations, et le pouvoir d'une caste d'hommes s'appropriant par la connaissance l'origine des choses. C'est-à-dire la destinée finale des humains.

La Création comme « origine »...
originalité du monothéisme ?

C. G. — J'entends bien vos réticences – pertinentes – à la notion d'« origine » ainsi conçue. Cela ne m'empêche pas cependant de considérer le mythe biblique de la Création comme tout à fait fondamental, notamment parce qu'il permet de questionner le caractère par trop homogène de votre vision du « religieux ». En effet, un tel mythe n'existe vraiment à mes yeux que dans les traditions monothéistes, la notion d'histoire n'ayant de sens que par rapport à une création libre, référée à une liberté divine personnelle ; alors que les mondes grec et indo-européen sont sous le signe d'un autre mythe : l'Un et le Multiple. Mythe qui envisage toujours le Multiple comme une émanation nécessaire de l'Un, et toujours le salut comme un retour à cet Un d'origine.

À l'opposé, avec le mythe de Création des traditions monothéistes, vous avez l'idée d'une histoire prenant sens – vous le dites vous-même – uniquement par rapport à l'avenir et à une construction du groupe humain. Soit une émergence progressive de cet *homo absconditus* dont les individus comme nous ne sont que l'apparition éphémère et inaccomplie. Raison pour laquelle la perspective du messianisme – ce dernier fût-il séculier – me semble indissociablement liée à l'idée mythique de Création telle qu'imaginée par les traditions monothéistes.

R. D. — Oui, il y a certainement dans l'idée de Création celle d'inachèvement, et donc d'ouverture à un agir humain, à une liberté humaine « à l'image » de la liberté du Créateur divin. Avec cette vision du monde, on jette en effet les dés et c'est à l'homme de jouer.

C. G. — La question étant de savoir ensuite si cette histoire va vers le chaos, ou si elle a un sens.

R. D. — Les deux thèses ne sont pas contradictoires à mes yeux. L'intuition du chaos peut fouetter l'invention du sens.

Les idéologies et « mythologies » modernes – politiques ou médiatiques – relèvent-elles du « religieux » ? Le « spirituel » a-t-il un impact social ?

C. G. — Mais il y a aussi une autre question, qui transparaissait déjà à travers notre divergence sur l'analyse de la situation américaine : celle de la distinction entre les religions et les idéologies. À supposer – comme vous l'expliquez en vertu de l'incomplétude humaine – qu'il n'y ait pas de système social qui tienne sans projection vers des « invisibles » fondateurs, les idéologies et les religions relèvent-elles selon vous d'un « mécanisme » identique ? Ces « invisibles » de nature idéologico-politique et ceux de nature plutôt religieuse sont-ils vraiment commensurables ? Y aurait-il ou non une spécificité de la dimension religieuse en la matière et, si oui, quelle serait-elle ? De plus, quels pourraient être le statut ontologique et la « valeur de vérité » de ces invisibles, de ces symboles unificateurs ? Résout-on la question en les rangeant également dans la catégorie de la « croyance » ? Si on reconnaît ici à l'œuvre la capacité symbolique du groupe humain et sa nécessité d'essayer d'échapper à la désagrégation grâce à des symboles rassembleurs, prendre alors comme figure emblématique le *Führer*, le Parti, Zidane, Bouddha ou le Dieu de la révélation biblique, est-ce exactement la même chose ?

C'est là le problème du rapport entre la religion envisagée uniquement comme facteur de cohésion sociale, et la religion envisagée avant tout comme foi. Celui de l'écart entre la religion comme relation personnelle avec la divinité – quelle qu'elle soit – et comme fonctionnalité socialement utile, voire indispensable.

R. D. — Ce n'est peut-être pas seulement la relation personnelle qui doit être ici prise en compte, mais aussi le fait que le divin fournit l'invisible le plus parfait, au sens du plus performant. N'est-il pas par définition... le plus invisible ? La performance maximale revenant à la position la plus « haute ». Absolue, éternelle, inaltérable, la divinité est par définition hors compétition ! Entre dire que « l'univers est infini parce que mon voisin de palier l'affirme », « parce qu'Einstein l'affirme » ou « parce que Dieu l'affirme », je préfère la troisième assertion sans hésiter. Pour gagner en crédibilité – et donc en influence –, vous avez effectivement toujours avantage à vous appuyer sur Dieu...

Avec tout ce qu'il charrie, le mot « Dieu » est de fait un extraordinaire facteur d'efficacité symbolique, et peut-être le meilleur. Car la parole prêtée à Dieu a par nature la propriété de diviser ceux qui croient et ceux qui ne croient pas, c'est-à-dire de créer d'un coup une frontière et deux groupes. Elle a aussi le pouvoir de pérenniser le groupe des croyants en « gelant l'histoire » puisqu'elle s'inscrit dans un présent perpétuel, toute parole divine pouvant être indéfiniment réactualisée. Il est hors concurrence le pouvoir des invisibles religieux d'assurer une cohésion de fer autour d'un noyau de vérité transcendante... et des institutions qui le servent, ou s'en servent. Oui, plus on lie par le « haut », plus c'est cohérent pour le « bas ». À l'égard de la société, ce pouvoir de compactage par le Très-Haut semble indépassable.

C. G. — Oui, mais il faut quand même la médiation canonique d'une Église !

Par ailleurs, après votre travail sur « l'itinéraire » de l'idée de Dieu, vous êtes bien placé pour savoir qu'il y a une grande différence entre l'invisibilité des dieux du polythéisme et celle d'un Dieu personnel, surtout si on considère le parcours historico-culturel qui mène du judaïsme au christianisme, c'est-à-dire à l'Incarnation.

R. D. — Disons qu'il y a une histoire de la notion de « Dieu » qui manifeste un épurement du divin. Une sorte de décantation, c'est évident.

C. G. — Diriez-vous alors que c'est un évolutionnisme acceptable que de souligner ce mouvement de « décantation » de la religion sur le long terme ? Un mouvement de « spiritualisation » qui la voit se définir d'abord par des pratiques, des mythologies, des rites, avant de se vivre peu à peu comme une relation non aliénante, théologale, à ce Dieu invisible et « épuré » comme vous dites ? Est-ce là de la « spiritualité » au sens quelque peu péjoratif du mot ?

R. D. — Il y a une répartition des domaines entre d'une part celui de l'intériorité et du spirituel, et d'autre part celui de la factualité, de la socialité, de la communauté, qui est le champ propre du religieux. Attention, il n'y a pas pour moi dans cette affirmation un jugement de valeur : je serais même le premier à reconnaître la supériorité morale du spirituel sur le religieux, au vu de la gratuité et sans doute de l'évanouissement altruiste de soi que le premier privilégie. Mais pour l'instant, notre question est de savoir comment les hommes peuvent faire en société sur la longue durée. Et là, je m'en tiens à des invariants de type « religieux » parce que tel est le mot que l'on emploie communément ; je préférerais plutôt « symboliques » ou « communiels ».

J'ai beaucoup de mal avec ce mot de « religion ». Il est vrai qu'une évolution historico-conceptuelle s'est opérée, avec l'apparition de la croyance personnelle – la foi – comme engagement existentiel en première personne. Il est d'ailleurs très frappant de voir la surprise des Romains ou même des Hellénistiques devant ces chrétiens qui « croient » en ce sens-là. En effet, les hommes de l'Antiquité faisaient des gestes, effectuaient des rites, mais de là à « croire » ! Les Grecs croyaient-ils en leurs mythes ? La question posée n'a pas de sens : c'est une question chrétienne appliquée à une autre situation culturelle.

C. G. — Les antiques « païens » accusaient tout de même les chrétiens d'être « athées de leurs dieux ».

R. D. — Bien sûr, ils étaient « athées » dans la mesure où ils ne pratiquaient pas les rites qui assuraient la cohésion de l'Empire, à commencer par le culte de l'empereur divinisé. Cette abstention pratique sera le principal grief fait aux chrétiens en vue de les conduire au martyre.

C. G. — Ces rites supposaient quand même une quasi-évidence ou croyance partagée, ne serait-ce que dans leur efficacité, non ? Surtout, peut-on réduire les religions antiques uniquement à du « religieux social », comme vous le faites ? N'y avait-il pas du « spirituel » dans ce monde préchrétien, je pense notamment à toute la veine des cultes à mystères ?

R. D. — C'est vrai, mais ces cultes, plus individuels que civiques, sont restés marginaux jusqu'à très tard.

C. G. — Les mystères d'Éleusis dans le monde grec, ce n'est pas rien. Et il y avait aussi des experts, des « athlètes » du religieux : Orphée, Pythagore, etc. Des figures mythiques, certes, mais qui ne sont pas marginales dans la culture gréco-latine, pour ne rien dire des équivalents en Égypte ! Il existait bien alors toute une spiritualité diffuse, qui coexistait avec une pensée philosophique parfois démystificatrice de ces mystères, parfois interrogée par eux. On le voit chez Platon, avec son recours au mythe et sa compréhension de l'Idée, entre le concept et la réalité « mystique »…

R. D. — Je ne soutiens pas que l'intériorité soit née avec le christianisme, même si la notion de personne s'est précisée avec saint Augustin ; mais je dis que les religions antiques étaient avant tout des religions ritualisées, institutionnelles, des religions « en extériorité ». Athéna est la déesse d'Athènes, c'est une déesse éponyme liée à une cohésion civique particulière, à des magistratures… Mais on ne deman-dait pas aux magistrats qui faisaient les sacrifices de croire en ce qu'ils faisaient. Cela ne veut pas dire bien sûr qu'il n'y avait pas, à la marge de ces ensembles politico-religieux, des cultes à mystères plus ou moins tardifs, comme des sagesses personnelles à la mode épicurienne ou stoïcienne.

C. G. — Mais ces systèmes politiques et socioculturels ne pouvaient tenir que si leurs membres « croyaient » – au sens d'adhérer, au moins en partie – à leurs emblèmes symbo-liques… Et ils se sont d'ailleurs écroulés dès qu'on a cessé de les prendre au sérieux.

Alors, pour reprendre votre problématique sur un plan théorique : si on considère respectivement un pôle du « religieux » qui tire vers le social et un pôle du « spirituel » qui tire vers l'intériorité, ne faut-il pas que les deux soient présents et fonctionnent en bonne intelligence pour une « efficacité symbolique » optimale au service de la cohésion sociale ?

R. D. — Vous avez raison. Il n'y a qu'à voir comment s'est déroulée la fin de l'Empire romain... Comment avec les tétrarques et les empereurs illyriens qui précèdent Constantin, on a assisté à son démantèlement progressif par profusion de cultes divins sur fond de scepticisme généralisé, de chute du niveau de transcendance socialement partagée. Et comment l'adhésion personnelle au Dieu unique, apporté par les chrétiens, a « revertébré » ce qui s'écroulait, par une sorte de « reprise en corps » collective. Mais là, il faudrait savoir de quelle époque on parle en particulier...

C. G. — L'idée que le spirituel pourrait avoir un rôle dans l'efficacité symbolique – et donc sociale – du religieux me semble assez intéressante et originale pour qu'on la creuse, alors qu'on a plutôt tendance à séparer aujourd'hui ces deux dimensions. Bien que la modernité se pense comme leur séparation, sont-elles donc au fond si séparées que cela ? Autrement dit, les religions historiques – devenues « Églises » – pouvaient-elles structurer les modes de vie, la culture, l'édifice sociopolitique autrement qu'en créant une solide relation entre « l'invisible suprême » et les consciences individuelles ? Je peux reprendre le slogan à la mode et accepter l'idée d'un christianisme qui soit « la religion de la sortie de la religion », entendue au sens archaïque et contraignant évoqué plus haut. Mais ma question concerne justement l'après-« sortie »... À mes yeux, après ce tournant historique, on demeure dans le cadre du religieux, mais d'un « religieux autrement », qui reste à définir.

Et pour ce faire, il me semble indispensable de remarquer d'abord l'inséparabilité de la sociabilité de la religion – son utilité sociale – et de ce qui me semble son noyau fondamental. À savoir cette intimité entre une personne humaine et un « invisible », que ce soit un Dieu personnel ou une transcendance autrement désignée. Relation intime qui définit pour moi le spirituel.

D'un point de vue anthropologique, cette intimité ne répond plus – ou plus seulement – au besoin infantile de sécurité et de consolation, mais paraît l'expression d'un « plus-être » en termes d'humanité. Contrairement à la critique de Marx et de Freud, la religion ainsi conçue serait une sorte de facteur de perfectionnement sur le plan anthropologique. Une voie d'épanouissement au lieu d'être une projection un peu puérile, une illusion ou un mensonge utile. Au lieu que l'homme meure au contact de l'absolu, comme disait Merleau-Ponty, il en recevrait un surcroît d'être, dans le cadre de cette relation à une transcendance invisible. Selon la vision hégélienne d'une succession des religions comme figures historiques de l'Esprit, nous serions en présence de ce que j'appelle volontiers un « religieux autrement » : un religieux qui ne soit plus aliénant. À ce stade, Dieu n'est plus un Dieu seulement transcendant – et écrasant – mais une Subjectivité ; et le rapport entre le sujet humain et le sujet divin ainsi compris devient un rapport de réconciliation, d'amitié, d'alliance, non de subordination et de domination.

R. D. — Magnifique exposé d'une foi vécue à laquelle je ne peux que souscrire, et d'un chemin personnel que je ne peux que vous envier !

Je suis d'accord avec vous pour critiquer la vision marxiste qui est en fait celle de Feuerbach reprise par Marx. Freud me semble cependant plus intéressant avec cette idée du désemparement infantile : cette idée que l'homme est un prématuré biologique affligé d'un besoin quasi organique d'attaches. Un besoin vital de rattachement et de protection, fût-elle fantasmatique.

C. G. — C'est l'émergence progressive de ce « religieux autrement » qui permettrait d'expliquer le phénomène que vous signaliez, impensable il y a vingt ou trente ans. Ces jeunes qui réconcilient leur humanité et leur modernité avec une foi religieuse – chrétienne ou pas – exprimant non un manque de l'être mais bien sa plénitude et son rayonnement.

R. D. — Je vous rejoins sur cette plénitude. L'autre jour par exemple, j'ai vu à la banque une femme avec un tel rayonnement, une telle générosité dans le regard, que je n'ai pu m'empêcher de l'interroger… « Vous êtes catholique ? » Surprise, elle me répond oui. J'ai vu cela aussi au Nicaragua, avec des jeunes femmes qui me faisaient penser à Jeanne d'Arc. Cette plénitude…

C. G. — Cela existe ailleurs, par exemple chez les bouddhistes.

R. D. — Bien sûr, et je n'en tire pas la moindre apologétique. Simplement, je constate que la foi produit chez le croyant une montée en énergie existentielle – ou spirituelle – qui se traduit, par exemple, par une moindre fatigabilité physique. Un jour, il y aura sans doute une description scientifique de ces états d'exception.

C. G. — N'êtes-vous pas là attiré par une autre forme d'utilité du religieux, du côté de sa fonction thérapeutique ?

R. D. — Pas thérapeutique au sens courant – et pauvre – du mot. Mais il y a peut-être un sens plein : la perfection organique de l'être. Une joie qui est élévation de la puissance d'être, comme l'a si bien décrite Spinoza. C'est même là toute mon interprétation du religieux comme expression et intensification d'un vouloir-vivre : un dopage antidépressif aussi bien chez les individus que dans les collectifs.

C. G. — Ce sont des mots que je retiens toujours quand je lis Nietzsche… C'est vrai, vous êtes bien au fond un vitaliste. Tant sur le plan individuel que collectif.

R. D. — Il est indubitable que le religieux nous aide à surmonter l'angoisse de mort. Malraux avait bien sa religion de l'art – ce qu'il appelait son « antidestin » –, mais son credo spirituel n'a pas marché quand il a voulu en faire une religion collective.

C. G. — C'est très profond cette idée d'« antidestin » à partir de l'art, qui distingue en lui un « immatériel » par rapport à l'utilitaire. Qu'est-ce que cette gratuité de l'art ? Que veut-elle dire ? Comment la comprendre par rapport à ce que nous disions du religieux ?

R. D. — Ce que nous en disions, pour parler clair, c'est que des gens capables d'offrir leur vie pour une cause, qui sont avant tout des religieux, sont aussi des gens capables d'attenter à la vie des autres.

C. G. — Certains le font en effet, mais pas tous…

R. D. — Je pense à un homme très religieux comme Che Guevara par exemple, qui avait un sens impressionnant du sacrifice… et qui sacrifiait la vie d'autrui avec un entrain peut-être analogue à celui de certains moines-soldats du XIIᵉ siècle.

C. G. — Ou de certains islamistes d'aujourd'hui. Le faisait-il parce que la « cause » le légitimait ? Son marxisme était-il à la racine de cet engagement sacrificiel ?

R. D. — J'y verrai plutôt un tempérament. Il était marxiste parce qu'il était messianiste et que le marxisme était le messianisme disponible à l'époque. Je parlerais plutôt d'un certain goût de la transcendance au regard de laquelle…

C. G. — C'est là qu'il faudrait toujours s'interroger sur notre emploi du mot de « transcendance »… Si on parle de « transcendance de l'Histoire » ou « de la Classe », est-ce au sens propre ou par métaphore ? Si nous tenons le fil que nous avons suivi jusqu'ici, il ne me semble pas s'agir finalement d'une vraie transcendance…

R. D. — L'Humanité, la Justice, la Révolution comme renversement de l'Exploitation de l'homme par l'homme, l'instauration d'un « État du peuple tout entier » abolissant la violence… Si ce ne sont pas là les « invisibles » qui fondent autant de religions séculières, dites-moi ce que c'est !

C. G. — J'y vois plutôt une perversion du messianisme dans ce qu'il a de meilleur.

R. D. — Une perversion… ou une métamorphose.

C. G. — Une transcription purement immanentiste.

R. D. — Oui, immanentiste, mais vous ne pouvez nier l'extériorité de ces possibles par rapport à l'actuel. Ils recouvrent une utopie, un invisible, une force supérieure que vous ne contrôlez pas, qui s'impose à vous et vous domine.

C. G. — Au nom de la lutte contre l'idolâtrie, les religions ont toujours polémiqué contre ce type d'« invisibles »-là, qui divinise ce qui n'est pas Dieu, mais des réalités humaines trop humaines. C'est pourquoi je vois un abus de langage à appeler « religieux » autrement que par métaphore les « mythologies politiques » de la Classe ou de la Nation que vous évoquez, ou, plus près de nous, les « mythologies modernes » de la star ou du sport. On voit là l'utilité de distinguer le « religieux » au sens strict et le « pseudo-religieux » sous peine de sombrer dans la confusion. Dans le « pseudo-religieux », on divinise quelque chose de fini alors qu'au cœur du religieux authentique, le seul « invisible » qui vaille est l'absolu, l'infini en tant que tel. Ce que les croyants appellent « Dieu » quand Il se révèle dans l'histoire par sa parole…

R. D. — Au cœur du religieux chrétien, à la limite du monothéisme, peut-être…

C. G. — Et c'est la sécularisation du religieux qui a provoqué ce déplacement du sacré, lequel ne désigne plus les rites ou les objets proprement religieux en ce sens précis, mais des valeurs morales – comme la patrie, l'humanitaire, les droits de l'homme –, ou imaginaires comme celles que produisent et diffusent les médias de masse. Alors, est-ce là du « religieux » ?

R. D. — Vous avez des analogies frappantes : le Parti en tant qu'Église ou l'Église en tant que Parti ; les savants en tant que clercs, le « culte de la personnalité », les cérémonies, les mausolées, les icônes, le sacrificiel, etc.

C. G. — Peut-être que la métaphore est parlante, mais elle peut aussi être trompeuse si on la prend au pied de la lettre. Potentiellement éclairants, ces rapprochements relèvent du domaine de l'analogie, comme vous disiez, du « tout se passe comme si », du « ça tient lieu de... », et pas de l'identité. J'y vois pour ma part une sécularisation des religions théistes, Ernst Bloch explique cela très bien : la dédivinisation du messianisme.

R. D. — Ce qui revient à une redivinisation de l'homme et nous ramène vers le religieux. Il me semble d'ailleurs que vous traitez un peu à la légère ces « déviations »... qui ont bouleversé les XIXe et XXe siècles, et sur tous les continents.

C. G. — Oui, elles ont abouti aux catastrophes de la modernité. Mais ce sont là des idéologies converties en mythologies, et non des religions au sens fort et précis du mot. Établir cette distinction permet donc de « déblayer le terrain » pour découvrir le vrai religieux, son « noyau », tout en s'interrogeant sur le rapport existant entre lui et la croyance en général. Ces deux domaines se recouvrent-ils ? Sont-ils synonymes ? Et quels sont les différents registres, modalités et variantes du croire ?

R. D. — Considérer ces « mythologies modernes » comme extérieures au phénomène religieux, c'est peut-être se débarrasser à bon compte du problème... Ces « déviations » auraient-elles fait ainsi autant de mal au religieux institué si elles n'avaient eu avec lui qu'un rapport lointain, comme vous le dites ? Je pense à la phrase de Chesterton : « Le monde est plein d'idées chrétiennes devenues folles. »

C. G. — Le plus étrange, c'est qu'un système qui se voulait scientifique comme le marxisme ait abouti à des comportements « obscurantistes », non seulement contraires à ses principes, mais continûment légitimés par l'aveuglement généralisé découlant de l'omnipotence d'un magistère : l'« Avant-garde du Prolétariat » s'accaparant le « Sens de l'Histoire ». Avec une philosophie subtile et complexe, à base de rationalisme et de matérialisme, on aboutit à une crédulité comparable à celle de certains chrétiens au cours de l'histoire, lors des Croisades par exemple. De même, c'est toujours au nom du magistère de la vérité révélée comme vérité absolue que la théologie chrétienne officielle a longtemps légitimé des déviations par rapport au christianisme originel.

À la lecture de votre *Feu sacré*, j'ai senti chez vous une perplexité face à cette stabilité de la « fonctionnalité religieuse » dans toutes ses manifestations – y compris les plus déroutantes et les plus inquiétantes – quelles que soient les évolutions profondes de l'esprit humain. Ainsi, ce qui était possible en matière de crédulité à l'époque de Galilée est encore possible aujourd'hui, en ce sens qu'un certain « religieux chrétien » fonctionne toujours très bien, même si de nombreux chrétiens ont un certain niveau de culture et ne sont pas des obscurantistes. Et cela vous scandalise...

R. D. — Cela ne me scandalise pas, mais je m'en étonne, c'est vrai. Et cet étonnement m'a conduit à l'idée d'un inconscient politique, c'est-à-dire collectif. Je crois en effet qu'il y a des propriétés invariantes du « nous », spécifiques, tout en faisant écho à des demandes, à des propriétés invariantes du « je », que le savoir scientifique est incapable de satisfaire.

L'inconscient n'a pas d'histoire et il me semble y avoir de

ce point de vue un immense piétinement, une redondance, un ressassement, mots qui n'ont pour moi aucun caractère péjoratif. L'illusion progressiste revient à plaquer la propriété de notre rapport aux objets – qui est un rapport technique, susceptible de gain et d'amélioration – sur les rapports de l'homme à l'homme, qui me semblent au contraire anthropologiquement programmés, et donc relativement invariants. De même, les conditions de l'action humaine me semblent toujours obéir à des lois de fonctionnement très peu dépendantes du milieu technique ou du savoir scientifique correspondant. Pour toute action humaine, il y a ainsi toujours une projection dans le temps à laquelle la croyance répond, et à laquelle la science ne peut pas répondre. Quand je m'engage en effet dans une action, il me faut une hypothèse d'avenir, un point focal devant moi, une certitude – au moins relative – quant au futur. Mais la science ne connaît que des indicatifs, et les règnes de l'optatif et de l'impératif ne relèvent pas de son domaine. Or, quand je suis dans l'action, je suis dans le subjonctif et l'impératif : je me dis « tu dois faire cela » et « puisse-t-il se faire que demain... ». Et c'est toute cette gamme de temporalités qui donne sa richesse au devenir humain.

Par conséquent, je ne dis pas que la croyance donne de mauvaises réponses aux questions auxquelles la science répond bien. Non, la croyance répond à d'autres questions que celles que le savoir rationnel se pose, et nous pose. Vraiment, l'observation de la réalité ne me montre pas ce recul de « la croyance » devant « la science », comme l'annonçaient les prophètes laïques de notre XIXe siècle. Sont-ce deux ordres de phénomènes hétérogènes ? En tout cas, il y a toujours quelque chose d'étonnant pour moi à voir John Ashcroft, ministre de la Justice aux États-Unis et bon mathématicien maniant des tas d'ordinateurs, tenir des propos, semble-t-il, peu rationnels sur les rapports de l'homme et de la femme, de l'Amérique et du reste du monde, de la vérité révélée et de l'action… Qu'est-ce donc que cette dualité – cette incohérence ? – en l'homme ? Non, devant tous les faux espoirs qu'a fait naître le progrès techno-scientifique, je ne suis pas scandalisé mais plutôt… surpris, et même un peu désolé. Le plafond de performance anthropologique du progrès me semble hélas bien facile à perforer par la croyance religieuse. Notre actualité ne le montre-t-elle pas tous les jours ?

Vers une nouvelle dialectique du savoir et du croire

C. G. — En ce qui concerne la dialectique du croire et du savoir, on assiste en effet aujourd'hui à une évolution, à savoir une relativisation de plus en plus grande du savoir. Les acquis scientifiques sont en principe irréversibles, mais la « vérité objective » établie pour un temps par les sciences demeure liée à des hypothèses toujours susceptibles d'être mises en question, falsifiées… Pour produire du « savoir » selon une problématique épistémologique moderne, les sciences même les plus rigoureuses sont ainsi continuellement obligées de se baser sur des hypothèses dépendantes de l'opinion, c'est-à-dire pour une grande part de la « croyance » dominante dans la communauté scientifique. Regardez par exemple les problèmes posés de ce point de vue au rationalisme classique par la mécanique quantique…

R. D. — Mais ces hypothèses sont tout de même vérifiées par des expériences conduites en aveugle aux quatre coins de la planète ! De toute façon, je n'aime pas trop quand les religions utilisent à leur profit les métaphores et incertitudes scientifiques : on s'est servi de ce type d'arguments « concordistes » tellement souvent, et avec une compréhension en général si faible des propos scientifiques visés… Prenons par exemple la fameuse « théorie du chaos » ; contrairement à ce qu'on entend, elle n'implique pas du tout une négation du déterminisme, mais simplement l'idée qu'il est impossible d'avoir un recensement exhaustif des conditions initiales d'un processus. Car l'instabilité de ces conditions peut engendrer des bifurcations considérables dans la suite du déploiement du phénomène considéré. Et il y aurait autant à dire sur les malentendus répandus au sujet de la mécanique quantique, de l'astrophysique, etc.

C. G. — Que ce soit dans le domaine des sciences humaines ou dans celui des sciences exactes, j'ajouterais en outre que nous sommes toujours d'abord ici dans le domaine du langage et de l'interprétation, comme le montrent bien l'épistémologie, l'histoire et la sociologie des sciences. Raison pour laquelle je ne perçois pas non plus un rapport d'opposition frontale entre ce qu'on appelle « la raison » et « la croyance », mais une dialectique. Un rapport de transition, qui m'amène à penser que nous ne sommes plus aujourd'hui dans une perspective d'exclusion systématique entre la raison et la foi. Oui, foi et savoir ne s'excluent plus l'un l'autre comme naguère, et cela ouvre de prometteuses perspectives.

Première ouverture : la raison philosophique est de plus en plus consciente de la « stimulation » que lui apportent les traditions religieuses, c'est-à-dire de l'intérêt intrinsèque de leurs contenus pour la pensée tout court, au-delà même de leur champ propre. En cela, la raison philosophique leur devient aujourd'hui plus hospitalière. Parmi d'autres penseurs, c'est un peu la thèse d'un Derrida (cf. *Foi et savoir*, Seuil, 1996) ou du philosophe italien Gianni Vattimo – je pense notamment à son petit livre titré en français *Croire et espérer* (Seuil, 1998) alors qu'en italien c'est *Credere di credere* [« Croire ce que je crois »]. Une problématique, me semble-t-il, intéressante et qui coïncide avec ce que Vattimo appelle la « pensée faible » : celle qui remet en cause l'onto-théologie.

Deuxième décloisonnement : la croyance se trouve également soumise désormais à une histoire de l'interprétation. Et il n'y a plus qu'à voir comment ont été ainsi « retravaillées » les vérités les plus fondamentales du christianisme. Ce processus d'interprétation en est encore à ses balbutiements, mais il me semble déjà possible de concilier la foi en cet « invisible » qu'est Dieu – la foi aux mystères chrétiens les plus fondamentaux – et les exigences indépassables de la critique historique, surtout du point de vue des textes. Depuis cent ans, on a fait un chemin considérable de ce point de vue dans le christianisme ; et je constate que cela n'a pas abouti à une destruction de la foi chrétienne, malgré cette épreuve cruciale qu'a été la « crise moderniste » au début du siècle dernier.

Comme chrétien et comme observateur rationnel, je me pose la question de savoir si des religions comme l'islam, l'hindouisme ou le bouddhisme vont connaître un même mûrissement et avec quel(s) résultat(s) ? Si une telle évolution est possible, aboutira-t-elle à un dépérissement de ces religions, ou leur offrira-t-elle au contraire une meilleure chance d'interpréter à nouveaux frais leur vérité fondamentale ? Une occasion de rendre leur mythe fondateur et la modernité plus compatibles ? Là, je n'ai pas de réponse, mais l'avenir nous instruira...

3

Dans une approche critique et multiculturelle, comprendre le « religieux » par les notions de « révélation », d'« inspiration » et d'« expérience » ?

Le christianisme et les autres religions du monde face à l'approche historico-critique

RÉGIS DEBRAY (R. D.) — Je suis très sensible à vos propos sur le christianisme. Mais lorsque vous dites que la foi chrétienne n'a pas été atteinte par la victoire de l'approche critique, vous voulez dire la foi personnelle, l'authenticité de certains engagements intimes ? Parce que sur le plan collectif...

CLAUDE GEFFRÉ (C. G.) — Non, je pense aussi à la foi enseignée par l'Église, même s'il y a bien sûr d'inévitables décalages entre la vérité du magistère, la vérité des théologiens, celle des simples croyants et ce que pensent les non-chrétiens de ces trois représentations de la vérité.

R. D. — Je ne crois pas que nous puissions comparer en la matière le christianisme et l'hindouisme par exemple, ou même le bouddhisme. Dans le cas hindou, vous avez une organisation sociale qui n'est pas passible de conversion, n'étant pas articulée à l'idée de vérité, de révélation. Vous avez un mode de vie, un système de castes, une communion ethnique fondée sur un système de croyances et de rituels. À la différence du christianisme, l'hindouisme ne me paraît pas détachable de son milieu et de sa culture originaires. Je ne trouve pas là la dimension proprement chrétienne du rapport au texte, ni celle de l'adhésion subjective à un corpus dogmatique… Nous nous heurtons ici une nouvelle fois à l'ambiguïté du terme de « religion ». Quant à savoir si la modernité va éroder rapidement les religions asiatiques… Au vu de la résurgence au Viêt-nam ou en Chine de pratiques religieuses traditionnelles mais aussi chrétiennes ou issues de « sectes » récentes, j'ai le sentiment que non.

C. G. — Nous portons souvent un jugement d'Occidental sur ces religions. Nous avons par exemple du mal à comprendre que des Indiens soient extrêmement performants en matière scientifique mais demeurent congénitalement hindous par toutes leurs fibres, c'est-à-dire viscéralement attachés à leur culture et à leurs traditions.

R. D. — Quitte à se prosterner devant Ganesh chaque matin avant de rejoindre leur ordinateur !

C. G. — Encore que… Nous avons bien ici en France des cadres supérieurs qui travaillent toute la semaine à la Défense avant de rejoindre une communauté charismatique le week-end. Et on pourrait évoquer le phénomène de Lourdes… Est-ce qu'un chrétien peut y aller sans croire au moins à la possibilité du miracle ? Personnellement, Lourdes me pose un problème, avec son mélange d'intense dévotion et de kermesse. Mais je constate qu'on y trouve des gens extrêmement cultivés, critiques, et à la fois tout à fait prêts à adhérer à ce type de merveilleux.

R. D. — Permettez-moi de rebondir : Lourdes vous pose-t-il un problème en tant que foyer de superstitions populaires ?

C. G. — Pas du tout. Je pense que c'est un haut lieu spirituel, c'est-à-dire un lieu avant tout marqué par des « miracles spirituels », même s'il y a quelques miracles physiques. D'un point de vue théologique, ce qui me gêne davantage, c'est la valorisation d'apparitions que je ne conteste pas comme phénomènes, mais où personne ne peut à mon avis discerner la part de l'imaginaire et la part d'une initiative « surnaturelle ». Ce qui me gênerait, c'est qu'une telle focalisation sur les apparitions de la Vierge – à Lourdes ou ailleurs – ne remette peu ou prou en question des éléments fondamentaux de la révélation chrétienne. À commencer par la clôture de la révélation par le mystère de la mort et de la résurrection du Christ, unique Médiateur…, n'en déplaise aux thuriféraires d'innovations risquées en matière de théologie mariale.

R. D. — Selon vous, le surnaturel n'intervient plus dans l'histoire après la Crucifixion ?

C. G. — Non, pas du tout, car je pense que la vie et l'enseignement des saints constituent une sorte de « cinquième évangile » tout à fait important, car l'histoire du salut continue comme histoire de l'Esprit de Dieu au travail dans l'histoire humaine. Cela dit, si on parle formellement de « révélation » en tenant compte du privilège propre à ce mot, je pense qu'il y a une période « fondatrice » du christianisme qui est close. Après ce temps fondateur, vous avez des illustrations, des inspirations de l'Esprit, des figures emblématiques et iconiques de ce que peut être la présence de Dieu dans l'histoire. Mais de telles manifestations n'ont ni la force, ni la signification de la Médiation du Christ en termes de révélation au sens strict, c'est-à-dire en termes de vérité et de présence de Dieu dans la vie des hommes. En bonne théologie chrétienne, on ne peut pas identifier la présence de Dieu en Jésus Christ avec la présence de Dieu en la Vierge qui apparaît à Bernadette…

R. D. — Qu'est-ce qui vous conduit à décider de la clôture historique de la révélation ?

C. G. — D'une certaine façon, le message même du Christ. Après Lui bien sûr, il y a l'Esprit, qu'avec son Père, il envoie aux hommes ; mais il n'y a plus d'Incarnation du divin dans l'histoire, en tout cas aux yeux d'un chrétien.

R. D. — La prophétie musulmane ne fait donc pas partie pour vous d'une possible continuation de l'histoire de la révélation ou du salut ?

C. G. — Là, je serais très prudent en vous donnant non pas une réponse de dominicain... mais de jésuite ! La part du Coran qui ne contredit pas l'enseignement des Écritures chrétiennes canoniques peut être considérée comme une confirmation de ce qui a été révélé au peuple juif et à l'Église. Mais la part du Coran qui conteste les dogmes fondamentaux du christianisme, je ne peux pas la tenir pour Parole de Dieu. Ce qui ne m'empêche pas – comme vous, je pense – de prendre en compte l'efficacité religieuse et historique du Coran pour des millions d'hommes. Cette révélation coranique qui a été capable de susciter des myriades d'adorateurs du Dieu unique pendant des siècles, et qui relève à l'évidence de ce qui est commun au judaïsme et au christianisme. En somme, vous me posez la question de la « clôture de la révélation », et là encore... nous allons retomber dans l'herméneutique ! Car « clôture de la révélation » ne veut pas dire clôture de l'interprétation de cette révélation.

R. D. — Excusez mon mauvais esprit : c'est bien parce qu'il y a clôture canonique de cette révélation que l'on se trouve obligé d'en rouvrir, tôt ou tard, l'interprétation. Si j'ose dire, l'exégèse commence là où le canon se clôt. Sinon, c'est la mort de l'intelligence.

C. G. — Je propose une autre distinction. Je dirais que s'il y a un avenir de la révélation en termes de sens, il n'y en a pas en termes d'événement historique. On ne fera pas mieux que l'événement Jésus Christ, si l'on croit qu'il manifeste la présence parfaite de Dieu à l'histoire. Et de ce point de vue, Jésus n'est pas un prophète parmi d'autres. D'ailleurs, le Coran lui-même ne met pas le prophète de l'islam et Jésus à égalité, puisque Jésus procède de l'Esprit même de Dieu par une naissance virginale, alors que Mohammed s'inscrit dans la tradition des générations humaines. Donc, du point de vue même de l'islam, il y a une supériorité dans l'ordre de la sainteté de Jésus par rapport à Mohammed : Jésus n'est pas le dernier des prophètes mais il est le plus grand dans l'ordre de la sainteté (Il est « le sceau de la sainteté »). Cela m'a toujours impressionné.

R. D. — Le prophète peut cependant « court-circuiter » Jésus pour entendre Dieu directement.

C. G. — D'après le texte du Coran, le « Dernier Jour » coïncidera avec un retour du Christ, la résurrection des morts s'accompagnant de sa présence conjointe avec Mohammed. C'est pourquoi Jérusalem est le lieu saint par excellence pour les trois religions monothéistes, qui attendent – ensemble – la résurrection des morts.

Mais je voudrais en venir plus précisément à la question de l'« expérience religieuse » personnelle, qui me semble essentielle en face de cette idée de « révélation ». Que reste-t-il de cette « expérience religieuse » une fois qu'on a mis en place tous les outils de l'appareil historico-critique – de l'analyse textuelle à la médiologie – qui nous apprennent la force de l'interaction entre les « contenants » et les « contenus » de la foi ? Ces différents dispositifs d'analyse ne vont-ils pas faire vaciller cette idée d'« expérience religieuse », d'« inspiration », en la rejetant dans un vague « spirituel » ? Faut-il tenir les deux bouts de la chaîne et alors comment ?

Enfin, d'un point de vue méthodologique, ne courons-nous pas le danger de trop nous limiter à la genèse et au déploiement du christianisme, en postulant implicitement une valeur normative à son parcours au détriment d'autres traditions religieuses ? Cela dit, se référer en la matière au christianisme permet au moins d'être peut-être un peu plus précis et concret, dans la mesure où c'est là la religion la mieux connue de nous...

R. D. — Je vais développer la question en vous la retournant. Selon vous, jusqu'où peut-on aller dans la déconstruction critique du christianisme, tout en maintenant l'expérience intime et intuitive de la révélation, de la « donation de sens », de l'« événement de l'amour » qui est celui de la rencontre avec le Christ ? Jusqu'où peut-on aller dans la restitution des aléas, des bifurcations, des contingences de la naissance du christianisme sans endommager ce qui vous semble l'essentiel ? C'est une vraie question pour un homme de foi comme vous, qui substitue un peu à la traditionnelle « théologie d'en haut » – une certaine onto-théologie de la « Vérité révélée » – la « théologie d'en bas », subjective, humaine, trop humaine. Cette théologie de l'interprétation où il y a plus « projection » de sens par le sujet interprétant que réception non critique d'une donation univoque...

C. G. — Oui, c'est une question tout à fait fondamentale : la grande question posée au christianisme depuis l'épreuve du modernisme, au tournant des XIXᵉ et XXᵉ siècles, avec l'émergence de la critique historique et de toutes les analyses littéraires des textes dits « fondateurs ». Là, je crois qu'il faut être très franc : à mon avis, les exégètes chrétiens vont traiter de plus en plus ces « textes fondateurs » de l'Ancien et du Nouveau Testament comme des textes de la littérature universelle, c'est-à-dire avec les mêmes exigences critiques. Ils vont en restituer la genèse, remettre en question l'authenticité de leurs auteurs, manifester leurs sédimentations successives. Ils vont aussi essayer de discerner ce qui est « historique » en termes événementiels et ce qui est « historique » au sens d'une reconstruction, c'est-à-dire d'un genre littéraire. L'une des grandes acquisitions à l'intérieur du catholicisme – en particulier ces cent vingt dernières années – c'est l'idée que l'histoire puisse être elle-même un genre littéraire, au-delà de l'histoire effective telle qu'on la comprend immédiatement ; idée sur laquelle a d'ailleurs été fondée l'École biblique de Jérusalem que j'ai eu l'honneur de diriger. Oui, la Bible contient effectivement, avec les onze premiers chapitres de la Genèse et avec la geste des Patriarches, des textes qui sont « historiques » au sens d'une histoire, d'une fable, d'une mytho-histoire pour utiliser un terme cher à Mohammed Arkoun.

R. D. — D'une mytho-histoire jouant sur le plan archétypal, pourrait-on dire ?

C. G. — Oui : archétypal… pas préhistorique ! Une fois cela posé, le problème se déplace quand il s'agit de confronter ces vérités-là à l'expérience religieuse que nous évoquions. Est-ce que tout s'écroule en la matière parce que cette base historique est ébranlée ? Je crois qu'on est alors invité à réfléchir sur ce qu'a pu être la conscience religieuse d'Israël, et celle de la première communauté chrétienne. Car s'il y a quelque chose qui différencie la foi d'un saut dans le vide, d'un pari absurde, c'est bien le fait qu'on s'y réfère à une tradition essentiellement basée sur la conscience religieuse d'un peuple, d'une lignée croyante. Une conscience religieuse collective qui a abouti en l'occurrence à cette production littéraire somme toute assez extraordinaire, même si elle ne date que du VIᵉ ou VIIᵉ siècle avant Jésus Christ pour ses parties les plus anciennes. Tous ces textes se réfèrent en effet à des histoires n'ayant de sens que par rapport à la confiance et à la foi d'une communauté en l'existence d'un Dieu créateur, qui fait alliance avec « son » peuple et l'accompagne tout au long de son histoire. Des textes qui, dans le Nouveau Testament, se réfèrent à l'expérience chrétienne fondamentale, nous renvoyant à l'événement inédit de la naissance, la vie, la mort et la résurrection de Jésus de Nazareth. Oui, c'est bien cette conscience religieuse qui a suscité des prophètes et des écrivains dont nous lisons toujours les œuvres aujourd'hui comme Parole de Dieu pour nous.

Tout à l'heure, vous avez parlé avec raison de contingence à ce propos. Pourquoi a-t-on gardé tel texte et pas tel autre, ce qui nous replonge dans la question du canon, de la logique fondamentale et des péripéties de sa constitution. Et comme je vous l'ai dit, je suis de plus en plus convaincu que la Bible peut être dite « inspirée » dans la mesure où ses livres ont été reconnus comme « canoniques » par la tradition croyante. Car ce qui importe, c'est la référence à une conscience religieuse collective originaire, exprimée par une tradition orale, bientôt devenue écriture, puis reconnue peu à peu comme « inspirée ». Des écrits qui, aux yeux des croyants, leur parlent de la part de Dieu parce que l'Église les a discernés comme conformes au message ayant convoqué le peuple d'Israël et puis la première assemblée chrétienne. La communauté se reconnaît dans ces textes : c'est le point clé, et c'est pourquoi « révélation » est un mot énorme, peut-être moins approprié au fond que celui d'« inspiration », si on entend par là le fait que l'ensemble de cette littérature – quel que soit son genre littéraire – est considérée comme porteuse d'un message religieux essentiel.

L'idée d'inspiration nous renvoie immédiatement à celle de prophétisme : quelqu'un qui se lève pour parler au nom d'une

« voix » venue d'ailleurs ; quelqu'un qui interpelle ses contemporains – et les générations suivantes – en écrivant sous la mouvance de l'Esprit transcendant. Mais malgré ces avantages, le mot « inspiration » me semble également problématique dans la mesure où il convient moins pour des écrits de nature législative ou narrative, c'est-à-dire pas vraiment prophétiques au sens littéraire du mot. Pourtant, si le charisme de l'inspiration s'applique ainsi avant tout aux livres prophétiques, il va également s'appliquer aux livres dits historico-narratifs et sapientiaux, vu que les trois grands genres littéraires bibliques sont la prophétie, l'histoire et la sagesse.

De ce point de vue, plutôt que de parler d'« inspiration », je dirais que le croyant d'aujourd'hui s'inscrit dans la tradition qui a produit ces textes selon une continuité, qui ne prend sens que si l'on fait place à « l'Esprit de Dieu ». En ce sens, on ne peut jamais dissocier l'Écriture de la Tradition, ce qui souligne la convergence entre les approches juive et chrétienne. Dans le cas du judaïsme, cette logique est poussée si loin que les commentaires de la Tradition (le Talmud…) sont plus importants que la lettre même de l'Écriture ! À la différence près que chaque rabbin est porteur de la première tandis que dans le cas du christianisme, c'est une Église instituée qui a ce privilège en la personne de ceux qui la gouvernent, à savoir le magistère, détenteur du pouvoir légitime d'interpréter les Écritures.

Ces précisions données, reste la question la plus difficile : celle de savoir où se situe l'inconditionnalité de la foi… Car l'inconditionnalité, le spécifique de la foi chrétienne, ne peut pas être induit à partir de l'originalité des textes bibliques comme tels, dans la mesure où ceux-ci sont toujours susceptibles d'être lus comme le sont les mythes de l'hindouisme ou du bouddhisme. Malgré le témoignage historique de la conscience religieuse d'Israël, l'inconditionnalité de la foi prend donc ici sa source dans l'expérience chrétienne fondamentale. L'expérience par les premiers chrétiens de Jésus comme événement de salut de la part de Dieu. Et cette expérience rejoint l'attente de toute conscience religieuse, une conscience qui s'interroge sur l'énigme de la condition humaine : son origine, sa signification, sa fin. Une conscience marquée par le sentiment qu'il y a toujours en elle une « voix » qui la précède elle-même : l'appel d'une voix venue d'ailleurs... Ce en quoi la conscience humaine ne peut se définir dans un soliloque interne à elle-même, mais a toujours le sentiment d'être précédée. Ce qui revient à une exigence qui déborde la totalité de la conscience, qu'on nomme sa source « Dieu » ou pas. Là, je vous renvoie, par exemple, aux « lois non écrites » dont se réclame Antigone.

Voilà comment j'essaie de me situer en tant que croyant par rapport aux remises en cause issues de la critique historique et de l'homogénéité formelle existant entre les Écritures chrétiennes et celles des autres religions.

Entre « religieux » et « spirituel », la question de l'« expérience »

R. D. — Vous définissez fort bien l'attitude religieuse en général et par là même, *a contrario, la mienne*. Vous avez parlé de « l'antériorité d'une voix, d'un appel » : je dirais que pour la conscience religieuse, l'homme habite le sens et le sens le précède et le déborde. Et quand l'homme ne sera plus là, il y aura toujours le sens, qui est un en-soi. Mais aux yeux d'un agnostique, ce n'est pas l'homme qui habite le sens, c'est le sens qui habite l'homme. Et le sens a la contingence de l'homme : né avec lui, il mourra avec lui, avec l'espèce. Il y a là, je crois, deux conceptions irréconciliables, même si elles peuvent essayer de se comprendre mutuellement. Ainsi personnellement, je ne peux pas vous suivre : pour moi, il y a une contingence du sens. Il est certes nécessaire qu'il y ait du sens, du symbolique car l'homme est ainsi fait ; mais il est contingent que l'homme soit cet être vivant, si singulier, pour qui les choses perçues par ses sens sont toujours à référer à autre chose... qui n'est pas une chose. Autrement dit, nous sommes face à une nécessité anthropologique, pas théologique. Et cet « être là » humain si particulier, cette constitution apparemment unique dans la nature, peut-être qu'un jour la neurophysiologie permettra de l'éclaircir.

Quoi qu'il en soit, l'homme cherche du sens : le sens – référé à une origine, un fondement, une direction, une fin – dont il a besoin pour vivre. C'est tout un paradoxe : il n'y a pas d'origine en dehors de la projection humaine, mais l'homme a besoin d'une origine pour vivre. Toute origine est par conséquent mythique, arbitraire et relève d'une décision culturelle ; mais on ne connaît pas de culture qui puisse se passer d'origine ainsi comprise. De même, il n'y a sans doute pas de téléonomie dans l'évolution ; il n'y a pas d'idée finale qui ordonne la succession des espèces vivantes, mais l'homme n'en demeure pas moins ce vivant singulier qui a besoin d'une finalité. Oui, il y a du sens – c'est un fait – mais pour moi, il n'y a pas de sens du sens.

C. G. — Est-ce qu'on pourrait reformuler ce que vous dites ainsi : pour vous, le sens ne peut pas avoir d'autre origine que l'intentionnalité humaine ?

R. D. — Oui, en phénoménologue, on pourrait dire cela. Le sens comme élément existentiel, individuel et collectif, est nécessaire, mais les contenus de sens peuvent eux s'avérer contingents. D'où l'incroyable diversité des cultures comme des choix existentiels – et politiques – possibles.

C. G. — Mais qu'appelez-vous donc le « sens du sens » ?

R. D. — Le Sens avec un grand « s » : l'« archi-sens » en quelque sorte, ou l'« arrière-sens » comme Nietzsche parle d'un « arrière-monde ». Cette originarité, ce fondement qui nous précéderait, qui nous aurait donné la vie et qui nous octroierait le sens par le biais d'une « révélation », à savoir la proposition d'un pacte donnant sens – direction et finalité – au chemin humain et cosmique. Mais dans cette donation originaire, inconditionnelle, qui fait qu'on est théologien plutôt qu'historien des religions, on peut certes loger de l'histoire des religions, c'est-à-dire du sens avec un petit « s ». On peut bien sûr discuter de telle parabole ou de tel verset, mais il reste cette différence fondamentale entre le Sens avec un grand « s » et son petit frère. Or pour moi, il n'y a pas de mieux, d'inconditionné et d'absolu au départ de tout. C'est une situation inconfortable, qui admet la précarité de l'homme, et l'arbitraire de ses choix. Pas d'extase : un simple constat. Nous décrivons là deux attitudes qu'il vaut mieux distinguer pour les comprendre.

C. G. — Mais peut-on réduire le religieux au Sens, fût-ce avec un grand « s » ? D'autre part, comment rendez-vous compte alors de ce que vous appeliez tout à l'heure « l'incomplétude de l'homme », ce besoin irréfragable de transcendance ? À quoi correspondrait en elle-même cette transcendance ? Est-elle de l'ordre de l'utopie, d'une fonction de cohésion sociale ou d'énergie vitale, ou de celui du « supplément d'âme » ? Ou bien peut-on tout de même envisager une « extériorité » excédant la projection vers l'empyrée d'un idéal terrestre, finalement centré sur l'homme du fait de son expérience d'incomplétude ?

R. D. — Vous donnez la réponse en même temps que la question… Mais je ne confonds pas « religieux » et sacré. Pour moi, le « religieux » – au sens premier, romano-latin du mot – désigne la réunion d'un corps médiateur institutionnel, d'un dogme et d'une Vérité révélée. C'est une modalité, parmi d'autres, de notre infirmité symbolique : le fait qu'il soit dans notre nature de subordonner la nature – ce qui est, l'immédiat, le réel effectif, le visible – à quelque chose qui n'est pas là, qui est de l'ordre de l'invisible et qui peut être, entre autres, tantôt un mythe d'origine, tantôt une mémoire ou une représentation de l'avenir. En effet, nous ne pouvons pas ne pas « fonder » le réel sur un fond d'irréel : il y a un ancêtre, absent mais quand même là, mort mais tout de même vivant… Il y a un esprit sur la montagne qu'on ne voit pas, mais qui nous voit… Bien sûr, il existe diverses façons de s'absenter du réel effectif, et le religieux n'est que l'une d'entre elles, mais dotée je crois de la plus grande capacité à créer de la cohérence, de la consistance sociale. Cette structuration symbolique de l'être humain tient à une propriété de son esprit : l'*homo sapiens sapiens* est ainsi fait, avec sa structure neuro-anatomique depuis à peu près cent mille ans.

C. G. — Le sacré serait alors la nécessaire non-acceptation que le réel ne soit que le réel ?

R. D. — On peut dire cela : l'homme est structurellement incapable d'accepter le réel, et c'est sans doute lié au fait qu'il est à la fois un être de langage et un être mortel.

C. G. — Dès lors, qu'est-ce qui distinguerait ce rejet du simple réel de l'expérience esthétique, qui me paraît manifester le même besoin d'habiter – c'est-à-dire d'humaniser – le réel en le recouvrant de symboles ?

R. D. — Vous avez raison : la distinction est tardive. Tous les paléontologues nous expliquent qu'il est impossible de dissocier le geste rituel, le geste plastique et le geste social chez les premiers humains qu'ils étudient. Ce sont là des catégories bien jeunes à l'échelle de l'humanité. Le symbolique ne me semble rien de moins ni de plus que la douloureuse et exaltante condition de n'importe quel bipède sans plumes.

C. G. — Nous retrouvons ici votre « efficacité symbolique », comme « efficacité » de l'imaginaire ?

R. D. — C'est sans doute lié. Dans l'un de ses articles, Lévi-Strauss relate un cas d'école en matière d'efficacité symbolique dans une culture « première » : celui d'un accouchement facilité grâce au récit fait par le sorcier à la parturiente du mythe signifiant pour eux deux dans ce contexte. Et de même que ce récit a des effets psychophysiologiques, de même un discours peut avoir des effets sociaux et politiques de vaste portée.

Pour que des idées, des images, des sons, des caractères d'écriture aient une efficacité pratique, à la fois sociale et

individuelle, il faut sans doute que l'homme soit particulièrement vulnérable à ce qui n'existe pas. L'efficacité symbolique, c'est ce mystère que Marx pointe mais n'explique pas
quand il dit que « les idées deviennent des forces matérielles
en s'emparant des masses ». Le problème est de savoir ce
qu'elles deviennent une fois que le processus est achevé, et
surtout comment se passe ce « devenir force » d'une forme
intellectuelle, d'une représentation.

Vous allez me dire alors : « Et la transcendance ? »...
Comme je vous l'ai dit, le mot ne me gêne pas, car je ne le
lie pas ontologiquement à une « substance » surnaturelle, à
une « personne » démiurgique. La transcendance peut être
pour moi l'idée de « société sans classes », celle d'« âge
d'or »... Autrement dit, c'est l'efficacité de l'absence qui se
révèle motrice pour les individus et les groupes humains,
l'efficacité mobilisatrice d'une entité imaginée ou intellectua-
lisée, telle que l'idée de Justice, et toutes les autres qui portent
majuscule, à commencer par la plus « haute » et la plus puissante : celle de l'Être céleste...

Il est vrai que la transcendance prend une forme paradig-
matique dans le « religieux », mais qualitativement, il ne s'y
joue au fond rien de plus que dans le domaine profane.
Simplement, le « religieux » constitue la forme la plus parfaite
d'un certain nombre de propriétés des communautés
humaines : les propriétés symboliques. C'est pourquoi il
résonne toujours plus ou moins avec tous, du fait des conso-
nances qu'il sait si bien mobiliser entre l'inconscient collectif
et les esprits individuels. Oui, rien ne vaut en la matière le
déploiement d'une théologie du salut, d'une référence dogmatique, d'un corpus de médiateurs cléricaux à même d'assurer
le relais entre le visible et l'invisible. Et selon les différents

états de la culture, ce sera le chaman lorsqu'il y a des esprits-animaux à attraper, le devin quand le ciel est divinisé, le prêtre lorsqu'il y a des Écritures saintes à interpréter. En ce domaine du symbolique, il y a toujours en effet matière à interprétation, qu'elle vise le foie de l'haruspice ou le dernier sondage de l'IFOP pour notre consultant radiophonique du matin.

C. G. — Quels que soient votre compréhension et votre emploi du mot « transcendance », j'ai l'impression que cela a toujours un lien avec la dimension collective du groupe social humain, dans une logique fonctionnelle de rassemblement, de remobilisation par sublimation. Mais en quoi votre idée se distingue-t-elle des « archétypes » à la manière de Jung ou bien des « universaux » à la manière de Jaspers ? À mes yeux, votre transcendance se situe dans une perspective fonctionnelle, je dirais même parfois organiciste, dans la mesure où elle joue au service de la naissance de l'Homme et de la survie du groupe humain. L'expérience religieuse ne pourrait-elle pas selon vous être aussi placée sous le signe de la pure gratuité ? Sous le signe d'une passivité de la conscience plus passive que la simple passivité ? Je retrouve là mon idée que la conscience est toujours précédée par une « voix »… C'est une métaphore pour exprimer une « extériorité »… C'est dans cette « extériorité »-là que je situerais la tradition – les ancêtres – ou l'extériorité de la loi au sens de l'obligation morale, ce qui n'est pas sans rapport avec les anciens… Ou bien une « altérité » qui, comme l'indique le mot métaphorique de « voix », est plutôt un appel. Un appel à l'égard duquel je suis convoqué. Si je prends le vocabulaire de Lévinas, je suis non seulement interpellé mais assujetti à cet « Autre » par le biais de ma dépendance à l'égard d'autrui, à l'égard du prochain, de tout homme. Oui, par le biais de l'éthique et de la responsabilité morale, ne pourrait-on pas introduire ainsi l'idée d'une transcendance qui soit personnelle ? Car sur quoi se fonderait en dernière instance la responsabilité morale, sinon sur une transcendance ? À mes yeux, ce fondement ne saurait être simplement un impératif moral déjà édicté ou un code dualiste et utilitariste pour distinguer le bien et le mal à des seules fins de survie sociale.

R. D. — Pour mieux vous comprendre, j'essaie de traduire vos propos en langage bergsonien, et je me vois alors placé du mauvais côté, du côté des religions et des sociétés closes. Car pour ce qui est d'aujourd'hui...

C. G. — Vous n'aimez pas beaucoup ma façon d'aborder les choses.

R. D. — Détrompez-vous. Je ne suis pas loin de l'envier. L'expérience religieuse n'est pas une supercherie, un simulacre : même pour ceux qui ne la vivent pas, mille exemples patents en montrent l'authenticité. Mais je pourrais vous répondre qu'en dernière instance, la vérité d'un phénomène n'est pas forcément dans la conscience de celui qui le vit...

C. G. — Vous parlez alors d'authenticité psychologique ?

R. D. — Oui, et même psychophysiologique, comme le montrent les stigmates, les « miracles » et autres phénomènes étonnants. Je ne nie pas tout cela... J'ai juste envie de reprendre ici le raccourci de Schopenhauer disant que l'amour est un sentiment admirable... mais aussi une ruse de la nature pour reproduire l'espèce. Que l'amour soit un attrape-nigaud à fonction démographique n'empêche pas qu'on se suicide « authentiquement » par amour.

Le « religieux » fonctionne peut-être un peu de la même façon : sous le voile de beaucoup de subtilités pour garantir la cohésion et la survie des assemblages. Autrement dit, la conscience individuelle n'est pas forcément la dépositaire ultime de la vérité de la chose. Je reconnais bien volontiers l'évidence palpable des expériences religieuses sur la longue durée. Personne – en tout cas pas moi – ne niera que ces expériences correspondent à des montées de joie, à des montées en puissance, à des moments de plénitude ô combien respectables. Faut-il pourtant voir là l'*ultima ratio* du religieux ? Non, je ne le crois pas, et je pense que vous non plus, vous qui êtes « ordonné » à une révélation ontologiquement fondée, ce qui risque de vous dissuader de mettre « toutes vos billes » dans la subjectivité en la matière.

À mes yeux, « l'expérience religieuse » n'est pas la « clé » ultime du phénomène. Encore une fois, je n'ai pas d'explication expérimentale et falsifiable ; c'est pourquoi j'en ferais plutôt un axiome, un principe, car au fond, je ne me l'explique pas. Je constate seulement que dix individus se retrouvant ensemble et désirant le rester doivent se donner une référence absente autour de laquelle va se coaguler leur groupe, ainsi délimité et distinct des autres groupes voisins. Dès qu'il y a l'opposition d'un « dedans » et d'un « dehors » du groupe humain, vous avez l'entrée en jeu d'un « dessus » – un « invisible » dégagé du plan d'immanence et érigé en source de la valeur – et d'un « dessous » par lui ordonné. Et c'est cela que j'appelle le « mécanisme incomplétude ». Généralement, on commence par le culte de l'ancêtre ou du *mort* : il y a des processus d'apothéose, de sacralisation qui permettent à un groupe de se maintenir et de faire tradition. Qu'est-ce au fond qu'une tradition, sinon une identité maintenue à travers le temps… qui dégrade par nature l'identité ? Qu'est-ce sinon une néguentropie ? Sinon la recréation – à chaque fois rejouée, difficile, inventive – d'un héritage qui n'est donné à personne et qu'il faut subvertir pour l'entretenir ? Oui, en ce sens, le « religieux » a une fonction identitaire, délimitative, individualisante pour une communauté humaine. Le « religieux » dit la vérité du groupe stable, identifiable et vivant. Et si sa fonctionnalité collective est essentielle, cela ne nie pas pour autant sa dimension individuelle : celle de l'« enthousiasme » au sens propre – étymologique – du mot en grec, à savoir « avoir Dieu en soi ». Mais du point de vue *fonctionnel*, ces expériences « charismatiques » ne sont qu'un exploit localisé, une pointe de vitesse dans un régime de croisière.

Entre « illusion utile » et « mentir vrai », le tragique du « religieux » caractérise la condition humaine

C. G. — Cette façon d'envisager le religieux ne renvoie-t-elle pas un peu au monde de l'illusion ? Cela dit, j'aime bien l'expression du « mentir vrai » que vous employez pour décrire le « fait religieux » dans votre *Feu sacré* ; une expression qui tend justement à définir la croyance religieuse comme la confiance dans une illusion.

R. D. — Oui, une « illusion » au sens freudien du mot, qui la différencie de l'« erreur ». L'illusion est une perception fausse, qui suscite un irréel, mais dont les ressorts sont bien réels et même trop réels. De plus, à la différence de l'erreur, l'illusion peut persister malgré l'exercice de la raison critique, dans la mesure où elle répond à un besoin vital.

C. G. — Or, avant même la croyance religieuse, il y a bien des analogues de la croyance à l'œuvre dans l'existence individuelle et collective des hommes, en ce sens qu'il n'y a pas de vie sociale – et peut-être humaine – sans croyance. Et ce, quels que soient les domaines – politique, art, médecine, vie quotidienne, science, etc. –, puisque le savoir n'est jamais absolu et définitif. Une croyance entendue cette fois comme un fait social total, indispensable aux relations humaines car tenant intrinsèquement à l'être-au-monde humain et à ses limites.

R. D. — Je vous suis...

C. G. — Il serait alors intéressant de savoir s'il y a une différence entre cette « croyance » générale socialement indispensable et la « croyance » proprement religieuse, qui vise quant à elle une « réalité » d'un autre ordre. Une réalité par définition absolument inaccessible et invérifiable par la raison, à savoir l'objet même de « l'expérience religieuse » et de la question du sens... Et c'est là où je trouve d'ailleurs un peu gênant votre désintérêt du sens au profit du lien social. Car on ne peut pas totalement ignorer la position du sujet qui s'interroge face à son expérience, comme le primitif s'interroge sur le sens de sa relation au ciel, à la terre, aux vivants et aux morts, etc. Cette situation existentielle me paraît vraiment fondamentale et elle passe notamment par la question de l'origine et la question de la fin.

R. D. — Personnellement, ce n'est pas l'origine qui me semble un invariant, mais le besoin récurrent – et peut-être permanent – de s'en fabriquer une. Voilà selon moi l'intéressant : pourquoi a-t-on toujours besoin de se fabriquer un début absolu ? Quant au reste, le rapport à la mort, etc., c'est justement ce que j'appelle le « feu sacré » : la pulsion de vie qui exige le dépassement fantasmatique ou ritualisé de l'éphémère. Et tout est bon pour cela, que ce soit la Patrie, la Nation ou la Raison au XIXe siècle, le Prolétariat au XXe, ou Jésus Christ depuis deux mille ans pour les croyants. En cela, je suis cynique. Un grand cynique de l'illusion. Mais je tiens beaucoup à l'illusion. Contrairement à Freud – qui annonce toujours un moment miraculeux où l'illusion disparaîtra –, il me semble que le collectif a un besoin organique et même organisationnel d'illusion(s), pour lui motrice(s), et ce pour des raisons très précises qui tiennent au « principe d'incomplétude ». Vous me dites « mais le sens »... Oui, c'est vrai : « Quel est le sens de ma vie ? »... C'est ce que je fais en explorant les différentes façons d'échapper à la mort.

C. G. — Et de ce point de vue, l'agir et le penser humains sont des défis énormes... Votre conception dénote cependant quelque chose de tragique dans la condition humaine : le groupe a besoin d'illusions pour subsister comme groupe... Ce n'est pas très réjouissant, et cela peut ouvrir la porte à bien des aberrations.

R. D. — Oui, et c'est pourquoi le groupe est le lieu du malheur, parce qu'il est autant le lieu de l'espérance que celui de la déception. Qu'est-ce que la vie politique sinon une suite de désillusions, qui chaque fois se consolent avec d'autres illusions ? La repousse de l'espérance est vraiment l'une des choses les plus tragi-comiques qui soit. Pour que la France continue, il faut quelque chose – un « invisible » – qui s'appelle la Nation ; demain, ce sera l'Europe. Je n'y crois guère, mais l'illusion européenne est là pour consoler les désillusionnés du nationalisme et du communisme. Et ainsi de suite.

Pour demeurer ensemble encore et toujours, il faudra qu'il y ait à jamais ce que vous appelez vous-même la « Promesse », l'« Appel », la « Voix » : quelque chose qui convoque, une altérité qui avance avec le marcheur, comme tout horizon. Une altérité parfaite en cela... qu'elle n'est jamais confrontée aux faits. On peut même aller plus loin en disant qu'elle ne peut remplir sa fonction qu'en échappant à l'accomplissement. Pour que cet « Appel » subsiste, il ne doit jamais lui être tout à fait répondu. Prenez la communauté chrétienne : depuis deux mille ans, elle attend – selon des modalités différentes – la venue du Christ ; elle attend et continuera d'attendre, et c'est cette attente même qui la fait communauté. Et ce qui vaut ici pour la communauté chrétienne vaut à moindres frais pour toute autre communauté constituée.

C. G. — Et c'est là que vous situeriez un certain invariant ?

R. D. — Oui. « Sauvages » comme « civilisés » ont tous affaire avec cela, seul le mode de gestion diffère. Car l'incapacité essentielle d'un présent à se combler lui-même ne saurait progresser avec le temps, seules ses formes ou ses expressions varient selon les couleurs du temps. Les sujets de l'« Appel », les contenus de la croyance ou les thèmes de « l'identité-limite » peuvent ainsi varier, mais le besoin d'« Appel » en lui-même, le besoin de la croyance, sont des conditions *a priori* de l'être-ensemble.

Vous avez raison, tout cela n'a rien de très gai. En cela, j'ai le sentiment que le renouvellement des générations – le fait que le jeu se relance ainsi sans cesse – fournit en quelque sorte une « preuve » de l'existence de Dieu. Vous vous rendez compte, si on ne mourrait pas, quel désespoir accumulé ! Ce serait épouvantable...

Les prophètes constatent qu'on ne les a pas écoutés, oui, mais le prophète meurt et le souvenir de la prophétie demeure mobilisateur. Plus tard, un autre prophète se lève et réinterprète le premier, et ainsi de suite, de génération en génération. Cette façon de se relancer, le rebond des idées, est salvatrice : cela maintient l'espèce à flot. À défaut, je ne vois pas comment nous aurions échappé au suicide collectif. Personnellement, je vais mourir désespéré... mais j'ai des enfants qui vont attendre à leur tour plein de choses inattendues et parfaitement hors d'atteinte : que la paix mondiale est pour demain, qu'on pourra se transporter en une seconde d'un bout à l'autre de la planète. Que l'Europe à venir sera merveilleuse, que sais-je ? ... Et quand ils sauront d'expérience que tout cela ne marche pas, une autre génération viendra. Je trouve ça remarquablement habile de la part du « Créateur »...

C. G. — Cela dit, au regard des diverses traditions religieuses, je ne suis pas aussi sûr que vous qu'on puisse universaliser ce que je reconnais comme un certain « messianisme », fût-il par essence illusoire. Il y a beaucoup de religions, surtout en Extrême-Orient, qui ont une autre conception du temps et de l'histoire. Et plus près de nous, l'islam n'est pas vraiment placé sous le signe de l'avenir.

R. D. — Mais plutôt d'une totalité universelle soumise à Allah.

C. G. — Du retour à l'éternel, aussi. Et le phénomène de la succession des générations n'y est pas sous le signe du progrès, comme en Occident.

R. D. — C'est un surplace qui ne fatigue personne.

C. G. — Quand vous parlez de vos enfants, vous croyez quand même qu'ils feront un bon bout de route.

R. D. — Non, je crois qu'ils feront aussi « mal » que moi ! Mais je crois aussi qu'ils feront à leur tour des enfants qui eux-mêmes... Vous avez raison, cette absence fondatrice – ou en tout cas donneuse de sens –, c'est chez nous, depuis le christianisme, l'histoire, le temps du salut, le drame à rebondissements de la rédemption.

C. G. — Depuis le judaïsme, même.

R. D. — Oui. Mais il existe d'autres constellations symboliques qui excèdent encore cette horizontalité au profit d'une certaine verticalité, dans la capture des énergies célestes par exemple... Ou chez le bouddhiste, avec cette idée d'un retour à une sorte de nirvana béatifique.

C. G. — Oui, la fusion avec le « vrai réel », mais c'est en cela que pour le bouddhisme le monde n'a pas encore été diffracté par ce que nous appelons la Création : l'entrée, le surgissement dans le temps. Ces religions orientales s'inscrivent toutes dans le cadre de la dialectique de l'Un et du Multiple, sous le signe de laquelle l'histoire judéo-chrétienne ne se place pas. Elle est sous le signe d'un commencement et d'une médiation de l'histoire pour atteindre la fin. Cela n'est ni hindou ni bouddhiste...

R. D. — La fin en l'occurrence étant peut-être le retour à l'origine.

C. G. — Non, justement.

R. D. — À la fin, on est tout de même débarrassé du péché : cela revient un peu au même.

C. G. — On peut dire qu'il y a un certain « retour à l'origine », sachant qu'il y a « plus » à la fin qu'au début : il y a eu une maturation, une fructification. Un chemin... C'est le *mirabilius formati* de la liturgie chrétienne, le Dieu qui recrée en mieux.

R. D. — Au sens de l'*Aufhebung*, du « dépassement » hégélien ?

C. G. — Si l'on parle de Dieu, je dirais que le Dieu de l'avenir n'est pas totalement identique au Dieu fondateur. L'homme non plus, d'ailleurs. Dieu y est en quelque manière « augmenté » de toute l'expérience de l'humanité.

R. D. — Pour les chrétiens, on est sorti du sein de Dieu et on y retourne.

C. G. — C'est l'intuition de Whitehead : celle de la Création divine comme *process* : Dieu est un Dieu créateur mais il est engagé dans une ontogenèse de Lui-même, dans le fait même qu'il a pris le risque d'une création en dehors de Lui-même.

R. D. — En tout cas, on peut remarquer une constante : l'homme, ce vivant insatisfait, est ainsi fait que ce qu'il est à ses propres yeux est toujours... un « moins ». Quels que soient les religions et plus largement les systèmes symboliques, il est toujours « amputé », « en attente de... », « en défaut de... ». Il est quelque chose d'inachevé et d'inadéquat à ce qu'il doit devenir ou redevenir. Cela, on peut aussi le dire du point de vue bouddhiste.

C. G. — C'est la « facticité » au sens où l'entend Heidegger : en tant qu'homme, je suis « jeté » au monde et je suis « déchu ». Pascal disait quant à lui qu'il y a dans l'homme cette conscience de l'absolu, de la perfection dont on ne sait expliquer la source au vu de sa misère ici-bas ; ce qui l'amenait à penser qu'un tel sentiment de plénitude caractérise l'état premier, essentiel, de l'homme... avant que la Chute ne vienne l'en priver. C'est aussi le mot d'Augustin, s'adressant à Dieu au début des *Confessions* : en substance, « Toi qui m'as fait, mon cœur sera toujours inquiet jusqu'à ce que je repose en Toi ». Mais avec ces deux derniers géants, nous sommes entrés dans une perspective croyante.

Croyants ou pas, il est en tout cas très mystérieux que les hommes soient toujours inconsolables de n'être que créatures contingentes, ce qui n'est pas un mal en soi...

R. D. — Oui, un inconsolable qui ne se console pas de l'être...

C. G. — L'une des grandes erreurs dans l'interprétation traditionnelle du christianisme a été de concevoir le salut comme une guérison de cette condition humaine. Or, le salut n'est pas une telle guérison, mais une réconciliation avec Dieu à partir de mon expérience du mal, de ma propre misère. En effet, on ne peut pas demander à Dieu qu'une créature soit immortelle, illimitée : cela n'a pas de sens car c'est une contradiction dans les termes. Par nature, une créature ne peut être que limitée : sexuée, vulnérable, précaire… Toute une spiritualité chrétienne a pourtant conçu le salut comme une improbable « guérison » de la condition de créature – de la condition humaine –, d'où d'ailleurs l'idéal d'un chrétien vivant déjà comme un ange dès ici-bas. Et comme vous le savez, qui veut faire l'ange…

D'une certaine façon, c'est le problème posé par les infiltrations platoniciennes, stoïciennes et gnostiques précoces dans un message chrétien primitif assez différent de ce point de vue. Le grand ouvrage de Peter Brown sur « *Le renoncement à la chair* » pendant les quatre premiers siècles de l'Église l'explique très bien : le seul moyen de vivre alors une vie chrétienne aussi intense qu'à l'époque des martyrs était de se séparer du monde, de relativiser radicalement – un peu dans la ligne de Paul – le mariage, la procréation, le travail. Les préoccupations « du monde » en un mot, qui ne sont que l'expression naturelle de la condition humaine et de la tentative toujours recommencée de l'accomplir et de l'améliorer.

La véritable définition de ce qu'on appelle le « renoncement chrétien » est en fait tout autre. C'est Paul lui-même qui nous livre la clé quand il recommande : « Usez du monde comme n'en usant pas ! Soyez des hommes qui se réjouissent sans se réjouir, pleurent sans pleurer et sont au monde comme s'ils n'y étaient pas… » Un « renoncement » non par privation mortifère, mais par détachement en comprenant que nous sommes simplement les gérants d'une vie qui ne nous appartient pas et par rapport à laquelle nous avons à rendre des comptes. C'est l'intuition de Maître Eckhart sur l'idée centrale du « dessaisissement » ou *Gelassenheit* : cette sagesse sereine qui consiste à laisser être, à se laisser détacher, le sommet de l'expérience spirituelle se traduisant même par un détachement à l'égard de ce qu'on appelait « Dieu » jusque-là... Oui, ceux qui sont le plus près de Dieu sont prêts à renoncer à la présence comblante de Dieu.

R. D. — Je dirais à l'absence comblante de Dieu.

C. G. — Oui, Rilke disait magnifiquement « l'absence ardente ». « Absence ardente » de Dieu qui demande pour être goûtée – par contraste – d'être déjà heureux dans sa vie d'homme... Un certain bonheur, un certain accomplissement humain permet en effet de ne pas faire trop vite de Dieu un « bouche-trou » existentiel. Et ici, l'on retrouve à nouveau votre « incomplétude », car on a beaucoup de témoignages dans notre postmodernité de ces indices « en creux » de la transcendance : des « traces » souvent plus liées au sentiment de l'absence de Dieu qu'à sa présence. Des auteurs comme Philippe Jaccottet ou Yves Bonnefoy, toute cette littérature du seuil, de l'attente, de la trace, témoignent de cette absence ardente de Dieu. C'est le jeu poétique sur le signe et l'empreinte, la trace dans le sable qui est toujours celle d'un absent et en même temps la preuve de son passage, même si l'on ne saurait l'identifier. Une sorte de « preuve » de Dieu *a contrario*, non à partir des signes évidents de sa présence mais plutôt des vestiges de son absence.

R. D. — Je suis sensible à ce que vous dites sur la trace dans le sable : c'est l'image que j'ai choisie pour la couverture de *Dieu, un itinéraire*.

C. G. — C'est plus une itinérance qu'un itinéraire. Un itiné-raire, on sait un peu où cela va, alors qu'une itinérance ? On ne sait pas quel est le bout du chemin...

R. D. — L'art du christianisme a été de convertir l'insuffi-sance en itinérance, de lui donner la forme d'un chemin à parcourir. C'est un grand secours fait à l'incomplétude humaine que de conférer à un handicap congénital la force d'une dynamique. Ajouterais-je qu'il n'y a rien au bout du chemin ? Mais, comme dit l'autre, c'est le fait de marcher qui importe, non la destination. Oui, c'est en cela que le christia-nisme a une puissance motrice extraordinaire, d'où sa capacité expansive et missionnaire. Pour le meilleur et pour le pire...

C. G. — C'est l'identification à cet « extraordinaire » du Christ : « Je suis la voie, la vérité, la vie. »

R. D. — Ce que je traduis par : la voie est la vérité de la vie !

C. G. — Nous voilà revenus, je crois, à la question de la spiritualité. Mais vous n'aimez pas trop ce mot, n'est-ce pas ?

R. D. — Nous nous sommes mal compris. Il désigne à mes yeux une part importante de l'expérience intime. Simplement, il est bien vague. Un peu fourre-tout et passe-partout sur le plan explicatif... C'est pourquoi j'en suis économe.

Le « religieux » est-il réductible au social ?
Ou la signification du « spirituel »...

C. G. — Je pense comme vous que le « religieux » a toujours rapport avec le social. Mais, contrairement à vous, je ne peux le dissocier d'une « expérience » originale, irréduc-tible – anthropologiquement – à mes expériences esthétiques, morales, affectives, etc. Paradoxalement, cette singularité de l'« expérience religieuse » est devenue particulièrement visible dans l'actuelle situation occidentale, où la religion n'est plus d'abord un facteur de cohésion sociale alors que tant d'autres instances jouent ce rôle. Le christianisme y conserve certes une grande utilité sociale, mais ceux qui se disent croyants le restent même s'ils constatent généralement sa relative impuissance quant à la marche de la culture, de la société, de la nation, sur lesquelles il n'a plus de véritable prise. Oui, le christianisme y demeure malgré tout l'un des cadres privilégiés d'une « expérience religieuse », qui relève plus de la foi que de la religion d'ailleurs. La foi garde aujourd'hui un sens – c'est le cas de le dire – et une vitalité alors même qu'elle semble désormais socialement de plus en plus « inutile ». Et même si Dieu n'existe pas, je reconnais là un certain « irréductible » relevant de l'anthropologie. C'est pourquoi l'on ne peut plus définir le religieux – comme le faisait Durkheim – exclusivement par rapport à son utilité sociale.

Pour autant, comme on le voit dans le courant de littérature contemporaine que j'évoquais à l'instant, il me semble que le mot « religion » fait de plus en plus peur aujourd'hui. Alors que celui de « spiritualité » – jusque-là un peu déconsidéré, notamment par la littérature catholique – connaît désormais une sorte d'attrait. Il exerce une séduction sur beaucoup de personnes aimant justement se réclamer d'une « spiritualité » sans appartenance déclarée et par opposition à l'adhésion à une religion déterminée.

Cette espèce de déclin du « religieux », de méfiance à son égard, et d'attrait pour le « spirituel » me semble symptomatique de notre temps, où l'on veut tout tout de suite mais sans contrainte et sans engagement. Par ailleurs, le succès dans l'opinion de ce type de spiritualités « hors sol » n'est pas non plus sans rapport avec le recul tendanciel des formes spirituelles – classiques chez nous – fondées sur une figure personnelle de la transcendance. Une certaine « transcendance » – certains la diraient « cosmique » – demeure donc à l'œuvre actuellement dans les esprits, mais en s'éloignant du modèle des monothéismes.

Ces constats rejoignent peut-être votre propre perspective, qui pose la permanente nécessité d'une certaine « spiritualité » pour mettre en chemin les êtres humains, tout en soulignant que la modernité les rend de plus en plus critiques vis-à-vis d'un système dogmatique et des observances rituelles ou éthiques. Mais si ces spiritualités postmodernes sont un peu flottantes et souvent « charismatiques » au sens péjoratif de purement émotionnelles, elles ne me paraissent pas pour autant à mépriser dans la mesure où elles manifestent cette espèce de vigueur du « spirituel » en tant que tel. Celui de l'« expérience spirituelle » intime comme appel à un certain surcroît d'être, qui excède les services sociopolitiques, les utilités thérapeutiques, et les gains personnels en termes de qualité de vie qui en découlent par ailleurs. Ce « spirituel » se place sous le signe d'un accomplissement du potentiel humain, non d'une aliénation, d'une passion ou d'un intérêt. Du point de vue philosophique, cela manifeste une espèce d'« ontologie du possible », à savoir que le possible est pour les humains un réel aussi important que le réel actuel. Et cela entretient selon moi une certaine espérance collective face à un monde aussi fou que le nôtre. Oui, comme le dit Edgar Morin en rappelant l'incroyable victoire de la petite Grèce contre l'immense Empire perse lors des guerres médiques, l'improbable peut survenir… même dans l'histoire. De même, il est tout à fait improbable que la planète aille mieux demain et cependant un possible heureux peut toujours se concrétiser.

R. D. — C'est pourquoi l'histoire n'est jamais, par chance, prédictible. Mais je ne peux m'empêcher à la fois de vous donner raison et de vous livrer une mauvaise pensée à propos de la « spiritualité ». J'ai parfois l'impression que ce terme recouvre aujourd'hui un opportunisme ou une lâcheté : le « spirituel » comme matière à option et luxe existentiel ; les avantages de la religiosité sans les inconvénients, c'est-à-dire l'appartenance, l'inscription dans une tradition, la généalogie, la dette, et même, *horresco referens*, la hiérarchie. Ce qui revient à prendre la crème du gâteau et à laisser la pâte aux autres. De ce point de vue, l'essor notamment des spiritualités orientales me semble plutôt traduire un affaissement du « religieux » qu'autre chose...

C. G. — Oui, c'est le « spirituel » comme luxe supplémentaire d'une certaine élite. Le supplément d'âme... et un produit de consommation de plus !

R. D. — Raccourci saisissant : la « spiritualité » postmoderne a son berceau en Californie, comme le star-system d'Hollywood et la Silicon Valley... Pour résumer, on *serait* « spirituel » chez les riches et « religieux » chez les pauvres. Mais là, je suis polémique.

C. G. — Parce que vous durcissez l'opposition entre « spirituel » et « religieux », alors que les deux sont toujours « mélangés », dans des proportions et avec des formules différentes selon les situations. Ces nouvelles « spiritualités pour cadres sup » en mal de « mieux-être », elles sont aussi prescrites par des médias, soutenues par des institutions, mises en musique par des « entrepreneurs »... De ce point de vue, faire une médiologie du *New Age* ne serait pas inintéressant pour comprendre notre temps.

R. D. — C'est le problème. Pour ma part, le « spirituel » et le « religieux » me semblent deux pôles aussi complémentaires qu'antagonistes. De l'ordre de l'intériorité, le « spirituel » est une expérience d'intimité que je ne nie certes pas ; mais le « religieux », c'est l'inscription d'une croyance collective dans l'espace et dans le temps, soit une organisation sociale du monde. Ainsi, si le pôle « spiritualité » peut paraître aujourd'hui plus doré et sympathique, le pôle « religieux » demeure plus sombre, plus rebutant, plus ambigu... Et à mon sens surtout plus révélateur et instructif des lois de construction de l'être-ensemble.

C'est notamment au vu de cette distinction, que j'ai retenu l'expression de « fait religieux » pour le Rapport que j'ai réalisé à la demande du ministre de l'Éducation nationale sur la question d'une transmission d'une culture des religions à l'école laïque. Car le « fait religieux » appartient à tous quand l'« expérience religieuse » n'appartient qu'à quelques-uns. Et là, je suis imperturbable devant les objections des militants « laïques » ou rationalistes. Je leur réponds : « Écoutez, c'est comme ça ; ça plaît, ou ça ne plaît pas, mais il y a Vézelay et Notre-Dame, il y a des œuvres dans les musées, il y a des pèlerinages, un calendrier, des congés qui ont une histoire comme à Noël et Pâques, etc. Il en va de même dans toutes les sociétés, dans toutes les civilisations, et si vous ne vous en occupez pas, vous ne vous occupez pas de l'homme. » En revanche, si je parle dans ce cadre d'« expérience religieuse », on va me dire : « Vous voulez faire venir les curés à l'école, et puis bientôt les imams, avant de voir enfin les magiciens et les ésotéristes... L'expérience religieuse fait partie de la vie intérieure et cela ne nous regarde pas à l'école laïque. » Et ils auront raison. Mais je reconnais que ce choix du « fait religieux » est critiquable et relève avant tout d'une contrainte politique en quelque sorte... Pour permettre à l'essentiel de pouvoir passer : l'importance historico-culturelle du « religieux » comme réalité anthropologique, indispensable à la formation d'un « honnête homme » et d'un citoyen. La notion de « fait » est-elle pertinente pour autant, suffisante pour rendre compte du « religieux » ? Je serai le premier à vous dire non.

C. G. — Est-il sérieusement possible de faire une histoire, de proposer une connaissance des institutions, des écritures, des rites « religieux » comme de leurs conséquences dans la vie des hommes sans évoquer l'expérience humaine spécifique suscitée par ces institutions, écritures et rites ? Peut-on parler de « Dieu » sans parler de l'expérience de ce que les croyants appellent « Dieu » ? Ce n'est pas là uniquement le fait des « spiritualités », mais aussi celui des religions vivantes qui continuent d'influencer le monde d'aujourd'hui et de demain comme elles l'ont fait hier. Qu'on nomme l'absolu « Dieu » ou pas, on fait à l'égard de ce qu'il désigne une expérience « transcendante » par rapport à d'autres expériences ; et qui dit « expérience » ne dit pas immédiatement « pure subjectivité », puis « arbitraire » et enfin « délire ». Faire l'impasse sur « l'expérience religieuse » ainsi que vous l'envisagez, c'est comme essayer de parler du beau sans parler de l'expérience du beau, de l'expérience esthétique...

R. D. — Kant vous répondrait « oui, vous avez raison : le beau, c'est ce qui plaît sans concept ».

C. G. — Le parallèle existant entre fait culturel, fait esthétique et fait religieux révèle à chaque fois la même dialectique entre un « quelque chose » et sa réception par une personne. On ne peut pas parler du beau sans parler de la réception du beau ; on ne peut parler du « religieux » sans envisager la « réception de la transcendance » – autrement dit la croyance, fût-elle illusoire, et tout ce qu'elle implique – ni sans se poser la question d'une « dimension sacrée » sous-jacente, fût-elle d'ordre anthropologique et non métaphysique.

R. D. — La création artistique n'est pas liée à l'idée de beauté. C'est un autre problème.

C. G. — Mais qui répond quand même à cette problématique de l'expérience... Le beau en soi n'existe pas, il existe toujours par une réception de type subjectif. La preuve, c'est que les affaires de goût sont difficiles à trancher et qu'il y a des histoires de la réception esthétique. Le « beau » n'existait pas au moment où on construisait Sainte-Sophie à Constantinople...

R. D. — Dans le monde grec, le beau existait mais pas l'art. La gratuité de l'acte artistique était impensable pour un homme de l'Antiquité. Le beau était alors la splendeur du vrai. L'artiste avait une fonction précise et il n'était pas là pour faire du « beau » : on aurait même alors trouvé une telle idée extrêmement bizarre...

C. G. — Cela dit, quand vous décrivez dans *Le feu sacré* la multiplication des formes religieuses surtout en

Extrême-Orient, cela relève certes de la religion populaire mais nourrie par une réelle spiritualité non réductible à la pratique dévote des superstitieux.

Je n'arrive pas à voir le « spirituel » uniquement comme la part noble et acceptable d'un « religieux », à la fois plus nécessaire et plus tragique. En dehors des dérives contemporaines, le « spirituel-cerise sur le gâteau », je n'y crois pas beaucoup. Et cela, même de votre point de vue centré sur l'efficacité symbolique. Car n'est-ce pas par le « spirituel » comme champ de mobilisation psychique personnelle que le « religieux » « embraye » sur des individus formant par leur rassemblement et leur communion le groupe ainsi mobilisé ?

Et ne pourrait-on même dire que le « spirituel » – comme investissement psychologique et existentiel des ressources personnelles – est l'une des clés opératoires de votre efficacité symbolique ? On le voit bien, par exemple, avec l'énigme de la conquête chrétienne de l'Occident latinisé puis « barbare » : ces conversions rapides – à l'échelle historique – et en masse des populations, sans contrainte ou presque. Vous allez évoquer « Constantin... », « l'utilisation par l'Église du cadre impérial vidé de sa substance... ». Certes, mais cela ne suffit pas. Nous sommes face au mystère de l'articulation entre les consciences individuelles et les phénomènes historiques de grande ampleur. Face à la question du grand choix épistémologique des sciences humaines : s'attacher d'abord à l'individu pour saisir le fonctionnement du groupe, ou l'inverse.

R. D. — En ce sens, les Croisades sont un événement spirituel.

C. G. — Oui, d'une certaine façon. C'était bel et bien un mouvement populaire et spirituel, non seulement motivé par la volonté d'expulser les « infidèles » du Tombeau du Christ, mais aussi par l'idée que Jérusalem est la « Terre-Mère » et le « centre du monde » : un mythe porteur pour les masses et donc repris par la hiérarchie ecclésiale et les élites. Mais un paysan picard ou un chevalier provençal du XIᵉ siècle risquent-ils leur vie à traverser des terres inconnues à longueur d'année s'ils ne croient pas de tout leur être à cela ?

Pour revenir à notre présent, il me semble qu'on doive aussi tenir compte d'une troisième grande constellation entre le « religieux officiel » – catholique, protestant, juif et bientôt musulman – et une spiritualité genre *New Age* : celui des Églises évangéliques, qui connaissent actuellement un très grand succès. Par rapport à notre embryon de typologie, elles sont intéressantes parce qu'elles rassemblent des hommes et des femmes de tous milieux – avec une prédominance populaire – généralement baptisés dans les Églises historiques. Ainsi en Amérique latine – notamment au Brésil –, on voit d'anciens habitués des dévotions souvent superstitieuses d'un catholicisme établi se retrouver en masse autour de l'audition quasi mimée de la Parole de Dieu, dans une très grande simplicité et une très grande chaleur conviviale. Étrange, en effet, ce succès des Églises évangéliques, qui coïncide avec un grand mouvement populaire d'éloignement des Églises officielles et qui ne tombe pas pour autant dans ce que vous désignez comme des « spiritualités d'élite ».

Ces Églises nouvelles sont en train de prendre la place des anciennes « communautés de base », plus ou moins animées par les théologiens de la Libération dans un esprit de militance sociale et politique. Avec les Églises évangéliques, c'est tout l'inverse qui se passe : pas de contestation sociopolitique mais une puissante implication émotionnelle, où l'on fait l'expérience de ce que peut être la « consolation du religieux ». L'expérience spirituelle qui vous permet de supporter, de surmonter une existence souvent peu ou prou inhumaine grâce à une effusion communautaire et à une grande solidarité entre fidèles. Il peut donc y avoir de nouvelles dynamiques religieuses détachées des grandes Églises du point de vue dogmatique et sacramental sans sombrer dans l'élitisme des « spiritualités postmodernes » que vous critiquiez.

R. D. — Disons que trop d'institutionnalisation du charisme engendre périodiquement le besoin d'un retour à une effusion plus proche du « feu sacré »...

C. G. — Qui plus est, ces jeunes Églises réussissent une véritable « inculturation » de la foi, justement ce que les théologies de la Libération n'ont pas réussi malgré le courage de leur engagement militant pour la liberté et la dignité des plus pauvres. Chez les évangélistes en effet, on assume à merveille l'originalité ethnique et les traditions ancestrales des fidèles locaux. N'est-on pas en pleine efficacité symbolique avec ce succès des évangélistes là où les théologies de la Libération ont échoué ? N'est-ce pas pour des raisons anthropologiques profondes, qui seraient mieux assumées de leur côté ?

Pour en revenir à votre métaphore du « feu sacré » comme résumé de l'ambivalence fondamentale du « religieux », qu'est-ce qui pour vous détermine en son sein, à un moment donné, la prédominance du maléfique et du violent ou de la convivialité et de l'altruisme ?

R. D. — Le désolant et le réjouissant s'y retrouvent toujours à la fois, même s'il n'y a jamais de motif de se désoler complètement ni de se réjouir totalement. D'où l'intérêt de cette métaphore du feu qui réchauffe et qui brûle, qui se domestique et qui dévaste. Cette ambivalence de nature prend parfois la forme d'une alternance dans le temps. C'est toujours le même refrain : le martyr se fait volontiers meurtrier et vice versa, en particulier dans les « religions séculières ». Tout dépend du contexte historique.

La violence et l'incommunicabilité entre les religions

C. G. — Sans sombrer dans la recherche d'une hiérarchie entre les religions, une autre grande question surgit inévitablement : y a-t-il des religions structurellement plus violentes que d'autres ? Ou bien toutes les religions, quel que soit leur idéal, sont-elles toujours susceptibles d'être instrumentalisées par les autres pouvoirs politiques ou par leurs propres « démons » internes et donc capables de violence ? Personnellement, je n'ai pas de réponse...

R. D. — Ce serait à l'anthropologue de parler parce que la moindre tentative de réponse passe par un exercice comparatiste. D'ailleurs, on voit à la lecture de *Tristes tropiques*, que même un sceptique peut risquer un jugement de valeur et une « hiérarchie » entre les différentes religions. Chez Lévi-Strauss, le pôle négatif, c'est l'islam : selon lui une religion militaire, compulsivement prosélyte, antiféministe. « Si les corps de garde avaient une religion, ce serait l'islam », dit-il en gros. Quant au pôle positif, ce serait le bouddhisme, religion qui laisse une grande liberté et qui réintègre l'individu humain dans la vie, tous deux sacralisés. En ce qui me concerne, je ne sais si c'est parce que je parle avec vous, mais le christianisme me semble une solution médiane : une bonne moyenne entre l'islam et le bouddhisme ainsi envisagés. Un équilibre entre l'extrême collectivisme de l'un et l'extrême solipsisme de l'autre. Avec son universalisation et sa personnalisation d'un Dieu ethnique, son exigeante idée de salut et son devoir de charité, d'ouverture à l'autre, le christianisme me paraît une intéressante formule de transaction entre l'individuel et le collectif. Je serais tenté d'y voir, si ce n'était pas trop ethnocentrique, un assez bel équilibre civilisationnel.

C. G. — Hélas, le christianisme peut aussi connaître des dérives historiques tragiques.

R. D. — Aucune religion n'est indemne du pire ; aucun athéisme non plus. Même les bouddhistes, avec certains bonzes du Sri Lanka qui prennent de temps en temps le poignard ou le fusil pour se défendre.

C. G. — À votre avis, pourrait-on dire que les religions liées à une révélation sous forme d'écriture ont une plus grande flexibilité que d'autres du point de vue herméneutique, celui de l'interprétation ? Pourquoi ce qui a été possible dans le cas du christianisme, ne le serait-il pas à terme dans une religion comme l'islam ?

R. D. — Du côté du christianisme, on a une parole inspirée ou rapportée par des témoins – les apôtres –, du côté de l'islam, la parole de Dieu lui-même, soudainement tombée du ciel en une nuit. Dans un cas, on peut transiger, interpréter.

Dans l'autre, vous êtes contraints et forcés par ce caractère « incréé » – intangible – du Coran : c'est étouffant. Par la force des choses, une certaine ventilation ne manquera pas d'advenir, même si la rigidité ontologique de cette parole coranique dont l'auteur est Dieu lui-même reste une gangue difficile à briser.

C. G. — On repère déjà quelques indices de cet assouplissement en marche, comme l'émergence des « nouveaux penseurs de l'islam » qui s'engagent actuellement dans le chemin critique de l'Écriture sainte parcouru avec le christianisme. En islam, le Coran est pensé comme la transcription de cette parole de Dieu, inaccessible mais dictée au prophète ; pourtant, cet écrit ne peut être la pure reproduction de cette parole parce que des années après sa profération, les disciples ont effectué un tri parmi les sourates. Ils en ont rejeté certaines et gardé d'autres, les ont réinterprétées et mises dans un certain ordre.

On se trouve donc bien face à un même phénomène d'herméneutique congénitale dès le début, comme dans les autres monothéismes. Dès que Dieu se révèle par une parole, celle-ci devient nécessairement une écriture, en cela inséparable d'une interprétation. Tout le problème étant alors de savoir qui gère et qui règle cette interprétation. Qui sont les interprètes autorisés et légitimes ? La difficulté en islam, c'est qu'il n'y a pas d'autorité magistérielle suprême, pas de régulation incontestée. Ce qui rend possible que des fanatiques se saisissent du texte sacré, l'instrumentalisent, voire le manipulent jusqu'à « justifier » la décapitation d'otages au nom de Dieu.

R. D. — C'est vrai : le magistère catholique a aujourd'hui un rôle d'amortisseur mais cela n'a pas toujours été le cas. Le fait d'avoir un magistère central n'est pas en lui-même la garantie d'une régulation positive. On peut tout à fait avoir un magistère intolérant et interprétatif...

C. G. — Il y a eu les Croisades, la conquête de l'Amérique... On a massacré des infidèles au nom de la guerre sainte. Mais que je sache, on n'a pas pratiqué des attentats suicides, c'est-à-dire sacrifié sa vie au nom de Dieu pour tuer le maximum de victimes innocentes...

R. D. — Il y a eu des actes comparables, comme vous savez. Cela dit, les missionnaires chrétiens ont parfois précédé les soldats en Asie et en Afrique, alors que chez les musulmans, les soldats viennent en même temps que les missionnaires !

C. G. — Quand ces « missionnaires » ne sont pas eux-mêmes des soldats ! Sous ce rapport, le seul équivalent dans le christianisme, ce sont nos ordres militaires médiévaux liés à la Croisade, comme les Templiers, ... mais cela relève toutefois de l'exception.

En tout cas, je ne sais pas si c'est une conclusion, mais quelque chose me frappe de plus en plus : le caractère irréconciliable des systèmes religieux alors même qu'il y a entre eux – non un fond commun – mais une complicité de « l'expérience religieuse » au meilleur sens du terme. Pour le dire autrement, ce sont les croyances qui divisent, ce n'est pas « l'expérience spirituelle ». Pour autant, cette « expérience spirituelle » n'existe pas à l'état ésotérique : elle s'exprime toujours en fonction des schèmes linguistiques et conceptuels auxquels les hommes appartiennent et qui les identifient. En cela, il y a autant d'« expériences spirituelles » qu'il existe de langues et de cultures. Et le fossé entre les cultures est tel que même si une « expérience religieuse » présente une ressemblance de famille avec d'autres, la traduction que nous en donnons risque toujours d'être une trahison parce que nous n'avons pas les mots idoines pour exprimer adéquatement les unes et les autres. Par exemple, le bouddhiste a une expérience de la « transcendance » qui est intraduisible dans le vocabulaire des langues européennes, et inversement, je pense qu'un Chinois ne peut faire une expérience du Dieu-Trinité ou du Christ à la fois homme et Dieu à partir des représentations conceptuelles propres à sa culture. Il aura peut-être l'expérience du Dieu-Trinité de la dogmatique chrétienne, mais elle sera nécessairement différente de ce qu'expriment nos catégories grecques et occidentales.

C'est pourquoi, même avec la meilleure traduction du monde, on ne peut hélas habiter plusieurs langues et plusieurs cultures simultanément. Et cette incommunicabilité est à la fois une limite et une chance pour le dialogue interreligieux et interculturel ; une limite tenant à ce que notre langage est toujours absolument inadéquat par rapport au contenu de vérité qu'il vise, une chance parce que nous sommes moins tentés d'absolutiser notre langage culturel et religieux.

R. D. — Vous imputez les fossés qui semblent s'agrandir actuellement entre les mouvances religieuses à ce phénomène d'incommunicabilité ?

C. G. — Oui, à une incommunicabilité culturelle et linguistique intrinsèque, qui – elle aussi – est une sorte d'invariant anthropologique.

R. D. — Je la doublerais volontiers d'une autre : il est dans la fonction même du « religieux » de diviser, puisqu'on ne peut pas rassembler sans exclure. L'opération est à double face, et nos vœux pieux ne veulent que l'endroit sans l'envers. Si je vous demande d'adhérer à une lignée croyante, un dogme, un corps de médiateurs, je vous demande forcément de vous détacher des autres, voire de les rejeter. C'est pourquoi ceux qui défendent la nécessité d'enseigner le « fait religieux » dans les écoles, sous l'angle exclusif de la tolérance et de la compréhension mutuelle, pèchent, hélas, par idéalisme. Toute reviviscence religieuse est une réaffirmation identitaire, donc tacitement une démarcation plus ou moins hostile par rapport aux autres.

C. G. — C'est plus vrai pour ce que j'appelle les « croyances » que pour la foi fondamentale.

R. D. — Sans doute. Nous retrouvons là nos deux pôles : le « spirituel » – où l'on peut sans doute circuler assez librement et fraternellement – et le « religieux », dont l'inscription culturelle et historique se fait au détriment de l'universel, même, ô paradoxe, quand la foi se veut universaliste.

C. G. — Encore que cette « fraternité dans l'exclusif » me semble quand même davantage liée à des religions qui ont vraiment un credo, un contenu de vérité systématique. Dans l'hindouisme, il y a un credo mais les attitudes, les castes, ne relèvent pas d'un contenu dogmatique mais d'une tradition ancestrale globale.

R. D. — Toute conclusion étant pour l'instant impossible, je me rallie à votre constat sur une certaine incommunicabilité des cultures.

À l'évidence reste ouvert devant nous un vaste chantier de recherche pour tenter de mieux comprendre ce « religieux », où beaucoup de questions demeurent pour moi sans réponse. Ce sont d'ailleurs celles que je préfère. Je ne sais pas pourquoi, au demeurant, tout problème devrait admettre une solution. Il y a des casse-tête définitifs, où l'on ne peut que tourner en rond. J'y rangerais volontiers le problème religieux.

Les auteurs par eux-mêmes

Régis Debray
Mes coordonnées sont ordinaires.
Né à Paris en 1940. Famille bourgeoise catholique sans excès. École laïque (Janson-de-Sailly).
Baptême, première communion, confirmation. Année de philosophie décisive. Perte de la foi catholique à l'adolescence. Épouse ensuite la foi communiste. Service militaire au-dehors (1963-1967). Prison (1967-1971). Puis, diverses aventures politiques (Chili, Nicaragua, France). Épouse alors la foi républicaine, laquelle me conduit à l'Élysée, puis au Conseil d'État, et finalement à la démission.
Actuellement (2005), président d'honneur de l'Institut européen en sciences des religions.

Claude Geffré
Né à Niort. Mère très pieuse, et père pratiquant mais guère spirituel. Bac obtenu à la Libération, en 1944, après une scolarité dans des établissements catholiques. J'ai assez tôt une vocation religieuse, non pour devenir curé de paroisse mais pour partir vers le lointain.
Deux années de séminaire à Issy-les-Moulineaux.

Service militaire en Tunisie et en Algérie avant une affectation en zone occupée en Allemagne. Rencontre des Pères Blancs à Tunis, à Carthage et Alger, et prise de conscience, malgré mon attirance, que ce n'était pas ma voie. Rentré en France, séduit par la qualité intellectuelle, humaine et religieuse de la vie dominicaine, j'entre au noviciat en 1948, à Paris.

Six ans d'études philosophiques et théologiques au Saulchoir, et départ pour un doctorat-express à Rome. De 1957 à 1968, enseignant en théologie dogmatique au Saulchoir (sur la base de la *Somme* de Thomas d'Aquin) et recteur des facultés de théologie et de philosophie.

En juin 1968, assigné au couvent Saint-Dominique, siège des Éditions du Cerf, à Paris. Enseignement de la théologie fondamentale à l'Institut catholique tout en assumant la direction de la collection théologique « Cogitatio Fidei ».

Titulaire de la chaire de théologie fondamentale à la faculté de théologie, j'assure un cours d'herméneutique théologique en second cycle et le cours de « théologie des religions non chrétiennes » dans le cadre de l'Institut de science et de théologie des religions (ISTR). Direction des études doctorales en théologie pendant onze ans, jusqu'en 1987.

En 1996, retraite et élection comme directeur de l'École biblique de Jérusalem.

Retour en France en octobre 1999 et nombreux cours à l'étranger (notamment en Afrique et au Canada).

Associé en 1975 à la fondation du GRIC (Groupe de recherches islamo-chrétien), je deviens, en 1985, l'un des initiateurs de la section française de la Conférence mondiale des religions pour la paix – *World Conference on Religion and Peace* (WCRP).

Table des matières

Composition et mise en pages : FACOMPO, LISIEUX

Achevé d'imprimer en mars 2006

2ᵉ tirage

Imprimé en France. - JOUVE, 11, bd de Sébastopol, 75001 PARIS
N° 395325B. - Dépôt légal : Mars 2006
N° d'éditeur : 3027